JN056812

事業プロデューサーという呼び水

―持続可能な地域経済のカタチ―

はじめに

なぜ地方創生に魅力的な仕事が必要なのか？
魅力的な『しごとづくり』が実現する持続可能な地域経済

日本は現在、少子高齢化・人口減少社会です。この大きな課題を契機に地方では過疎化が進行しており、東京一極集中化も止むことなく続いています。日本創成会議・人口減少問題検討分科会の「ストップ少子化・地方元気戦略」（２０１４年）によると、このままでは２０４０年には全国８９６の市区町村が消滅可能性都市となり、人口は２１００年に５０００万人以下へ減少すると言われています。

それでは、今後の日本社会で人口減少を緩やかにすること、持続可能な地域経済を実現させることは不可能でしょうか？　本書執筆メンバーが所属する法人内の産業振興チームでは、これは決して不可能ではなく、地域に雇用を生み出すことが解になると考えています。

地方に魅力的な仕事があって初めて、持続可能な地域経済は成り立つのではないでしょうか。仕事がなければ、若者は職の多様性、雇用の質と量、賃金の高さと、どの点からいっても首都圏を目指すでしょう。首都圏から地方への積極的な人口流入（移住）も生じづらいと考えられます。一方、魅力的な仕事が地方にあれば、首都圏と地方のヒトが循環し、それによって地域は活性化します。仕事が増えて雇用が創出されれば、賃金の増加、ひいては結婚や子育てといった人々のライフサイクルも生まれやすくなります。だからこそ、地方に魅力的な仕事を生み出す取り組みが地方創生にとって重要な意味を持つのです。

２０１６年からスタートした特許庁事業『地方創生のための事業プロデューサー派遣事業』（以下「本事業」）は、特許や商標といった知的財産を保有している、あるいは知的財産の出願が可能な優れた製品やビジネスモデルを持つ企業に対して事業支援する取り組みです。この取り組みは、地方の魅力的な仕事づくりにおいて大きな成果を挙げました。約3年という短期間に30件近い新規事業が創出され、今なお新たな事業化のチャレンジが続いています。企業が売り上げを伸ばし、雇用を生み出し、地域経済が活性化するという好循環が生まれているのです。

事業プロデューサーは『しごとづくり』のプロフェッショナル

企業が売り上げを伸ばすためには、人材（ヒト）・製品（モノ）・資金（カネ）といった保有する資産を十分に活用する必要があります。しかし、日本企業全体の99・7％を占める中小企業において、こうした資産を充分に有している、または活用できているケースは少なく、いずれかが不足しています。売り上げを伸ばし利益や雇用を生み出し、日本のみならず世界へ通用する企業となるためには、保有する資産を充実させて企業としての能力を最大化させなければなりません。

最大化する方法は様々ですが、その1つにヒトの支援があると考えます。地方においては、中小企業が持つ技術力を売り上げにつなげる人材が不足しているからです。企業としての能力を最大化させるためには、ニーズ起点で技術シーズ・技術開発力を組み合わせて事業をプロデュースできる人材が不可欠となります。

本事業における事業プロデューサーは、特許庁などの中央省庁、地方自治体や地域の支援機関、金融機関などと協力しながら、企業の持つ資産の価値を最大限に引き出し、不足を補い、魅力的な仕事を生み出すプロフェッショナルです。

事業プロデューサーの存在は、地方の中小企業、ベンチャー企業のパフォーマンス向上への1つの解の提供、立証につながっていると考えます。

本書の構成と読んでほしい方々

本書では、特許庁事業プロデューサー事業の全体像や事業がスタートした背景、静岡県で事業化された事例を基に新規事業創出による地方創生の実態やその効果、さらに将来に向けた持続可能な地域経済の取り組みについてまとめました。

第一部では本事業の全体像を解説します。第二部では、静岡県で事業化された事例を用いて特許庁や地方自治体がどのような支援を行っているか、地域の支援機関や金融機関はどのような連携体制を組んでいるのか、そして事業プロデューサーがどのように企業の課題を克服し、売り上げを伸ばしているのかについて述べます。第三部では、本事業の成功要因や事業プロデューサーに求められる資質・人物像を整理し、第四部は、特許庁や有限責任監査法人トーマツ（以下「トーマツ」）が本事業を企画立案した背景に触れるとともに、産業振興施策の1つとなり得る日本版ＬＥＰ（Local Enterprise Partnership）や地域の優れた製品やビジネスモデルの企画立案・販売支援を担う地域商社の可能性、持続可能な地域経済の目指すべき方向性について考察します。さらに、知的財産の活用や地域経済の活性化に想いを持って取り組まれておられる方々のコラムを織り込みました。

本書は、地方創生を担う中央省庁、地方自治体、地域の支援機関や金融機関の関係者はもちろん、知的財産を有する大学関係者、そこで学ぶ学生、そして何より事業プロデューサーを志す方々に手に取っていただくことを念頭にまとめました。

また、「事業プロデューサーという呼び水」というタイトルは、本書が事業プロデューサー導入のみを結論としたものではなく、事業プロデューサーが存在することによって実績を生み出し、最終的に「持続可能な地域経済のカタチ」を具現化することを表現したものです。そのため、本書を通じて1人でも多くの方に、地域を元気にし、地域の様々な課題解決に向けた手がかりとしていただけたなら幸いです。読者の皆様のご活躍を願ってやみません。

2020年7月1日

有限責任監査法人トーマツ
リスクアドバイザリー事業本部
パブリックセクター
ディレクター　増山　達也

目次

第一章　特許庁委託事業
『地方創生のための事業プロデューサー派遣事業』
売り上げを伸ばすビジネスを生み出していく

本事業は、特許権、実用新案権、意匠権、商標権などの知的財産を活用した新たな事業創出による地方創生を目的に、静岡県、埼玉県、北九州市の3カ所でスタートしました。特許庁より委託を受けたトーマツが新規事業創出のプロ人材「事業プロデューサー」を派遣し、地域の公的機関に常駐するモデルです。企業や大学などが保有する技術力や知財を地域に根差した事業の中で活用することによって、魅力的な事業を創り出し地方創生促進への貢献を目指しました。（図1-1）

それでは、本事業とこれまで自治体や地域の金融機関が行ってきたビジネスマッチングやものづくり支援といった取り組みとは一体何が違うのでしょうか。

最も特徴的なのは、売り上げを伸ばす事業を生み出すことを明確に掲げた点です。単なるビジネスマッチングや、ものづくり偏重の支援ではなく、売り上げが増えるように優れ

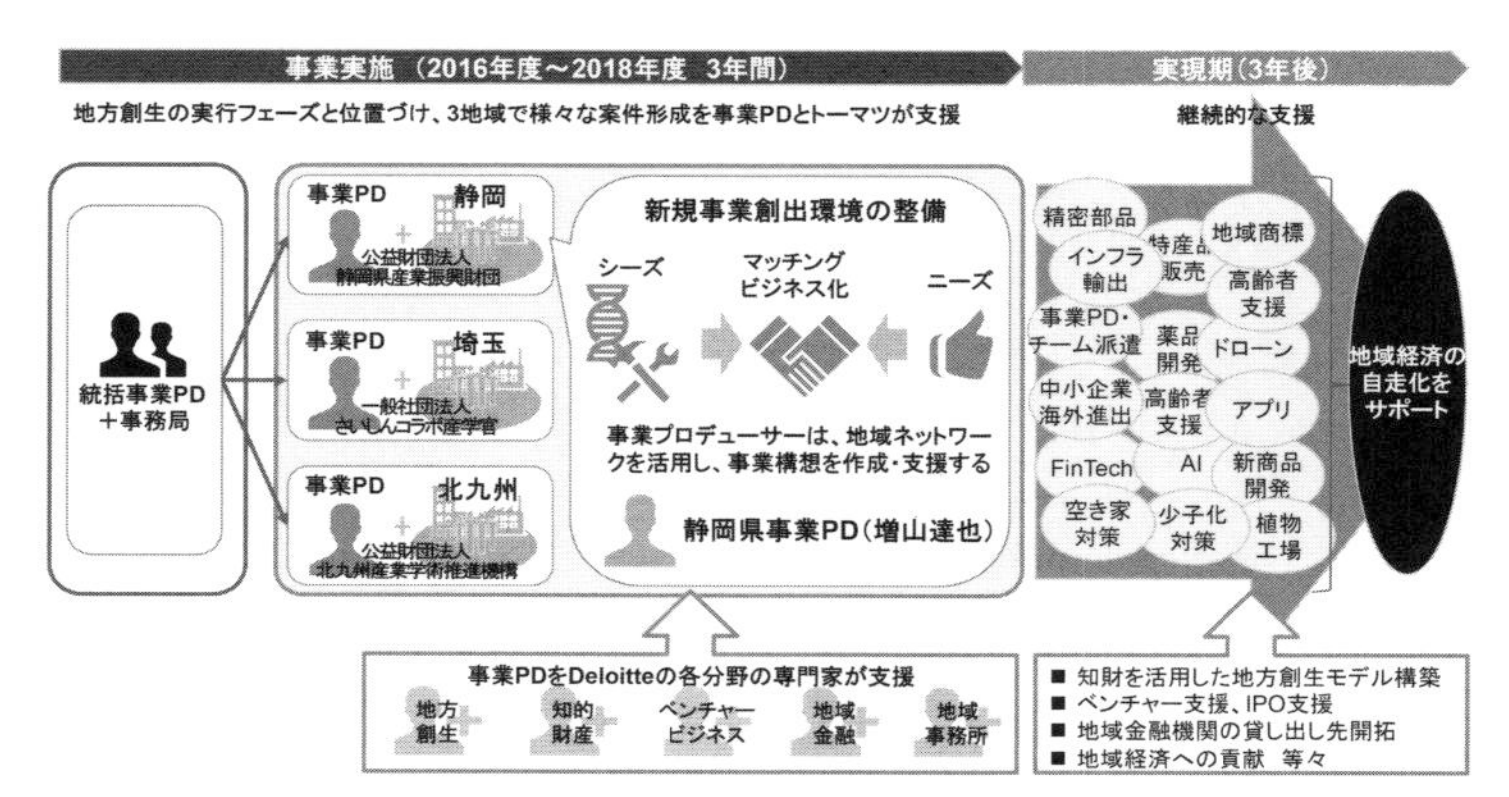

【図１－１　本事業の概要と特徴[1]】
出所：特許庁「地方創生のための事業プロデューサー派遣事業（平成28～30年度）事業実施報告書」

た製品やビジネスモデルを、特許庁、自治体、地域の支援機関や金融機関などと連携しながら、事業プロデューサーのネットワークを駆使して生み出していくというものです。

「優れた製品やビジネスモデルを持っていても、企画やブランディング、販路開拓支援が伴わなければ売り上げは向上しない」「売り上げが増えなければ、持続的に雇用が創出されることはない」「地域企業が利益をあげて雇用を生み出さなければ、地方創生につながらない」――。こうした視点と論法に立って、企業の成長に強くこだわりました。そして、経営者と共に新しい事業を創り、利益を上げ、地域に新たな雇用を生み出すことに傾注したのです。

大きなカギとなったのが事業プロデューサー

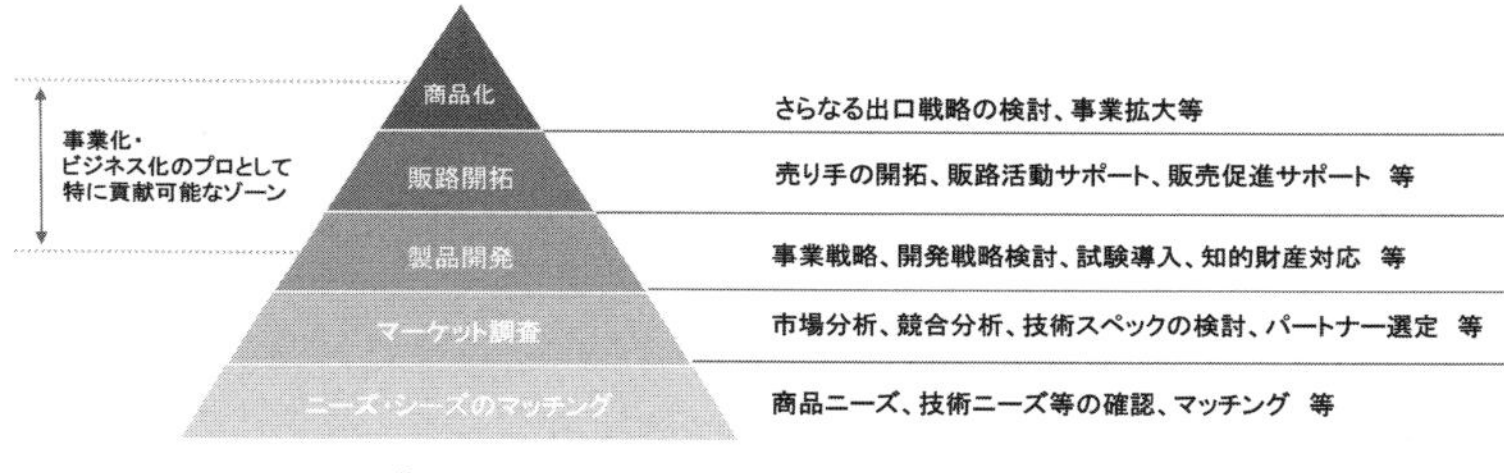

【図1-2　事業プロデューサーの支援領域】

の存在です。多くの協力者を募りつつ、特許庁や自治体、地域の支援機関、金融機関と企業を横につなげていけるか、その力量にかかっていました。

従来ものづくり支援を中心にしてきた特許庁が、委託事業として取り組んだ点も、革新的であったと言えます。さらに、現役のビジネスパーソン[2]が本事業を推進したことも特筆されるでしょう。

事業プロデューサーは、シーズ・ニーズのマッチングの後、その先に必要となるビジネスの観点に立って、製品開発の段階から販路開拓および商品化まで幅広く支援します。製品開発とは事業戦略、開発戦略検討、試験導入、知的財産対応などを指します。販路開拓は、文字通り売り先の開拓、販売活動や販売

1　静岡県での事業プロデューサー派遣先は、公益財団法人静岡県産業振興財団です。
2　本書におけるビジネスパーソンとは、実際に何らかの事業を手掛けている、または取り組んでいる現役人材のことを指します。

促進のサポートなどです。商品化は、さらなる出口戦略の検討、事業拡大などを意味します。事業プロデューサーの役割は、企業の技術や地域のニーズを活かした製品・サービスを事業戦略的観点で磨き上げ、広く流通させるための支援を通じて、地域の中小企業等の収益拡大と地域ビジネスの活性化につなげていくことです。(図1-2)

本事業では、コアメンバーを「ビジネス経験豊富な機動力のある現役ビジネスパーソンの集団」と位置付け、事業プロデュースチームを形成しています。売り上げがあがる事業を創出するために、事業または事業立案を手掛けている人材が地域へ入り込み、協業して結果を出していく流れは、今後の産業振興施策の1つのモデルとなるでしょう。(増山)

社会的価値総額は投入費用の6・5倍

本事業は、3年間、約3・5億円の事業規模で実施されました。その期間・投資額に見合う成功事例を多数残しましたが、事業全体を俯瞰し、成果を経済的な視点で明確化することも重要なポイントになっています。

成果を評価する上では、売り上げ以外に、マーケティングコストの節約効果、従業員の

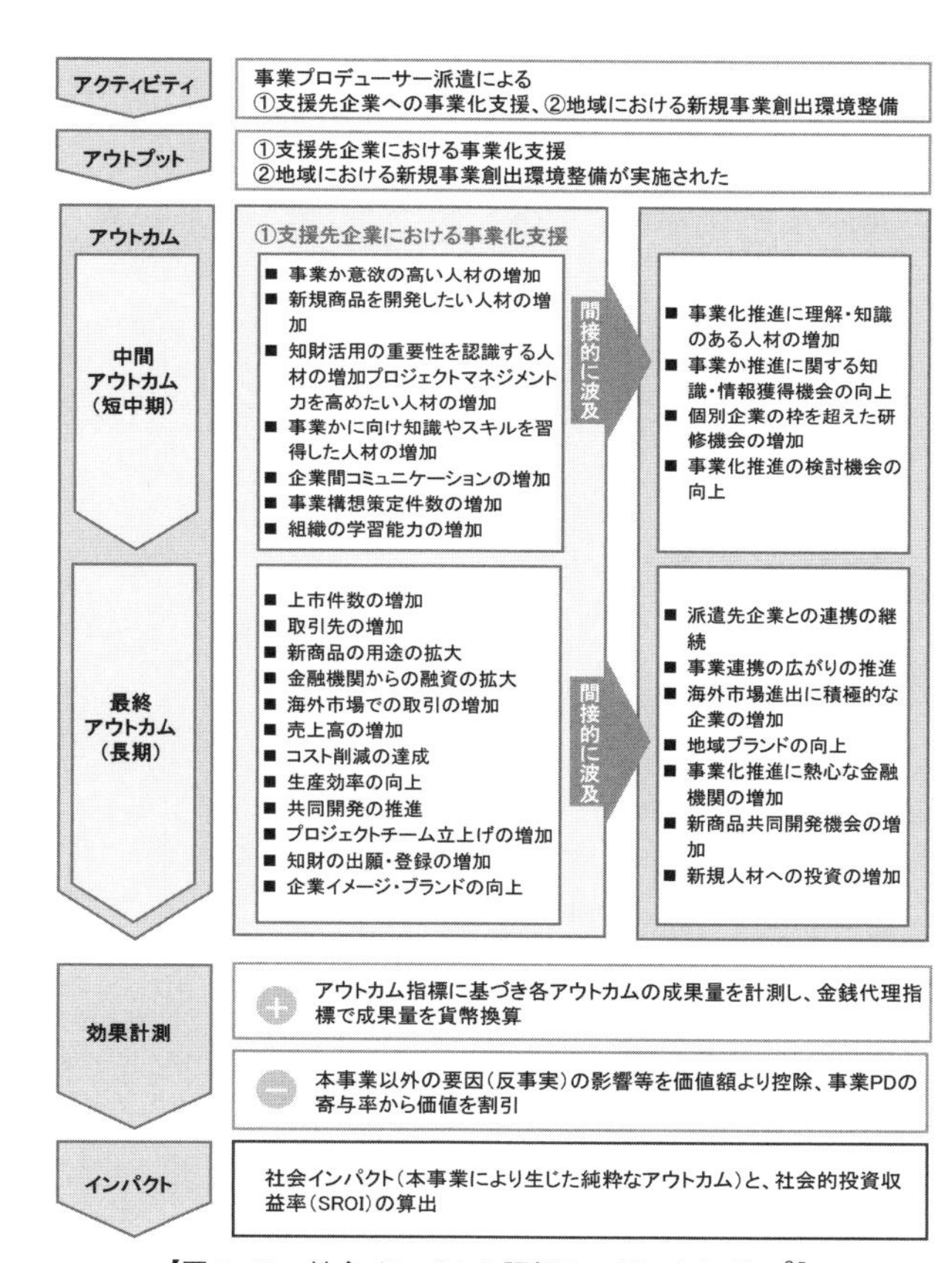

【図１－３　社会インパクト評価のロジックモデル[3]】

３　反事実とは、当該プロジェクトの介入があった場合となかった場合の比較において、介入がなかった場合に受益者に変化が生じる可能性の度合いを示したものです。本事業ではアンケートを用いて４段階の異なる度合いを設定し、反事実を算出しました。
寄与率とは、成果の総便益に対して当該プロジェクトが寄与する割合であり、他の組織や要因が影響する割合を控除して設定したものです。本事業ではアンケートを用いて５段階の異なる度合いを設定し、寄与度を算出しました。

モチベーションアップ、地域金融機関からの融資の増加といった定量・定性的な評価項目が考えられました。そこで本事業では、定量・定性的な項目を俯瞰的に評価する成果測定指標の1つである「SROI（社会的投資収益率）[4]」を用いて、「社会インパクト評価」による事業評価を行いました。（図1-3）

社会的価値総額（総便益）は22億2049万624円、投入した費用合計（平成28年～30年度委託費）は3億3840万9071円、社会的価値総額を費用合計で割ったSROIは6.56でした。これは、投入した費用合計のおよそ6.5倍の社会的価値を生み出したことを示しています。その社会的価値の内訳を次の図にまとめました。（図1-4）

本事業の成果として重要と考えている点は大きく2つあります。支援先企業の成長（売り上げや融資などキャッシュ・フローを創出させた効果）、そして地域社会における新規事業創出環境の整備への好影響です。

社会インパクト評価の観点では、支援先企業の成長・売り上げ増加については、経済的価値として実際に創出されたキャッシュ・フローのうち「取引先の増加」「市場に出回る

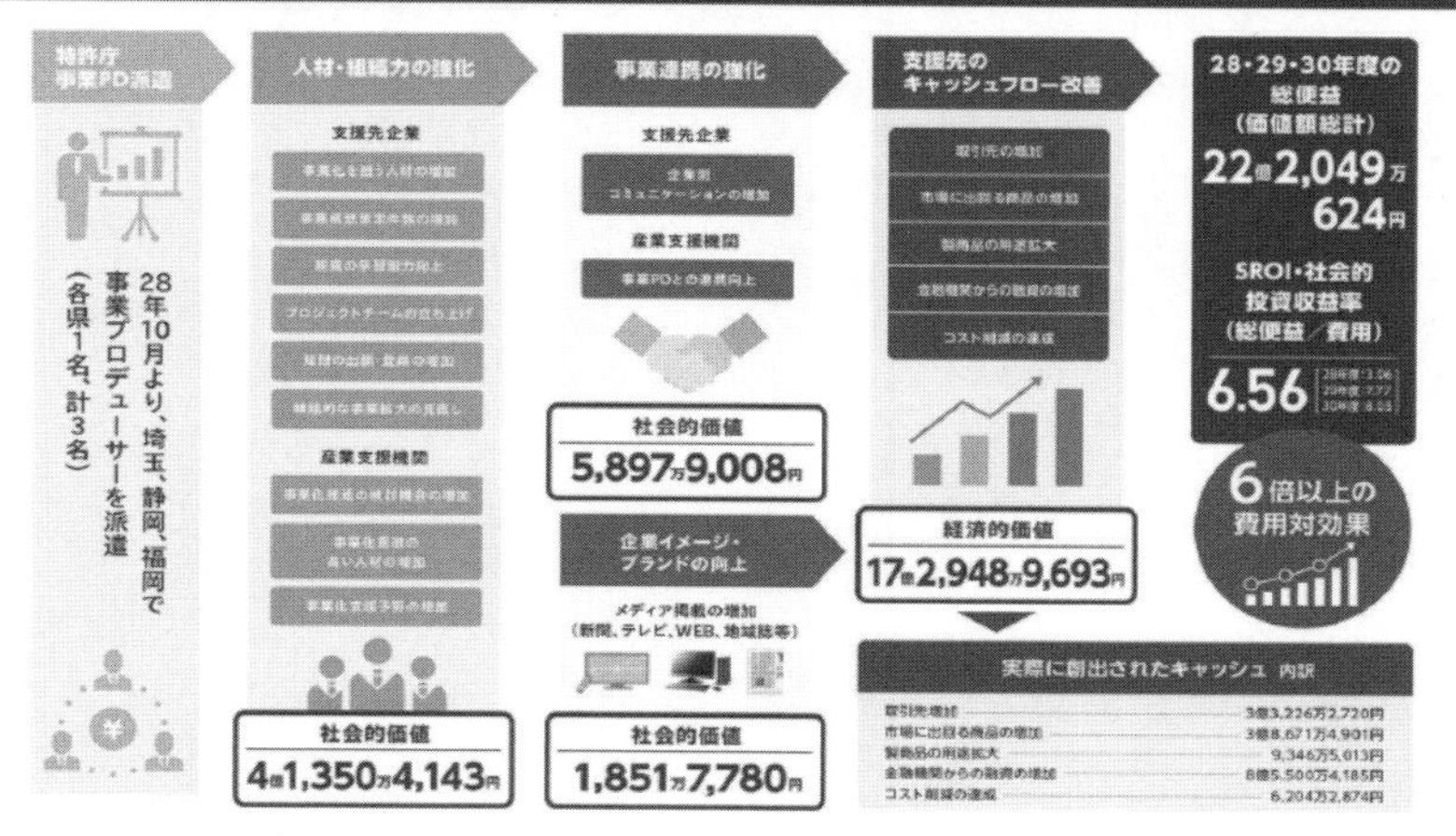

【図１－４　社会インパクト評価の結果（全体イメージ）[5]】
出所：特許庁「地方創生のための事業プロデューサー派遣事業（平成28～30年度）事業実施報告書」

4　SROIとはSocial Return on Investment ＝社会的投資収益率を指します。投資価値を、ROIなどの金銭的価値だけではなく、事業活動の費用と便益等を基に社会・環境・経済面など様々な面における社会的インパクトを評価するための指標として用いられます。

5　上記の定量化した経済効果は「SROI（社会的投資収益率）」に基づき、当該分野に関する学術的知見を有する第三者に委託して算定したものであり、実際の経済効果について何らかの保証を与えるものではないことに留意ください。

商品の増加」「製商品の用途拡大」が8億円程度確認でき、金融機関からの融資も8・5億円、コスト削減効果は6千万円確認できました。

実際にキャッシュ・フローが発生した経済効果が大きく表れており、事業プロデューサー派遣による地域経済への貢献を読み取ることができます。経済的価値額は17億円を超え、総便益に占める経済的価値の割合は約78％と高い数値を示しました。地方創生においては、中小企業の売り上げや融資獲得の積み上げにより、地域経済にお金を回して活性化を図ることが重要であると考えられます。この分析結果はそれを裏付けるものと言えるでしょう。

次に、地域社会で大変重要となる新規事業創出のためには、事業を創出しやすい環境自体を整備していくことが欠かせません。今回は、その環境整備に与えた好影響について、定性的な成果を金銭代理指標によって金額換算した定量化指標で評価しました。社会インパクト評価によく用いられる手法です。前図の社会的価値の指標がこれに該当します。例としては、「企業間コミュニケーションの増加」「プロジェクトチームの立ち上げ増加」などです。人材・事業プロデュースとの連携向上といった指標において比較的大きい効果が見られました。この結果、新規事業創出環境を整備する上でも好影響を与えることができたと考えています。（片桐）

地方創生を促すプロフェッショナル人材

特許庁事業「地方創生のための事業プロデューサー派遣事業」では、事業構築に深く関与する事業プロデューサーという存在が、カギとなっていました。この「事業プロデューサー」は、地域の公的機関に常駐し、企業が保有する技術力や知的財産を地域に根差した事業の中で活用することにより、魅力的な事業を創り出し、地方創生を促進させる役割を担うプロフェッショナルです。

なぜそのような役割が地方に必要なのでしょうか？

大企業であれば、製品企画から資材調達、製造、知財出願、販路開拓、販売、売り上げ計上に至るまでのプロセスを社内で完結することができます。しかし、中堅・中小企業、ベンチャー企業においては、人材（ヒト）・製品（モノ）・資金（カネ）などが不足しているケースがほとんどで、そうしたプロセスがスムーズに進められていないことが多々あります。特に人口減少が進む地域の場合、人材不足などからこの傾向が顕著に現れます。

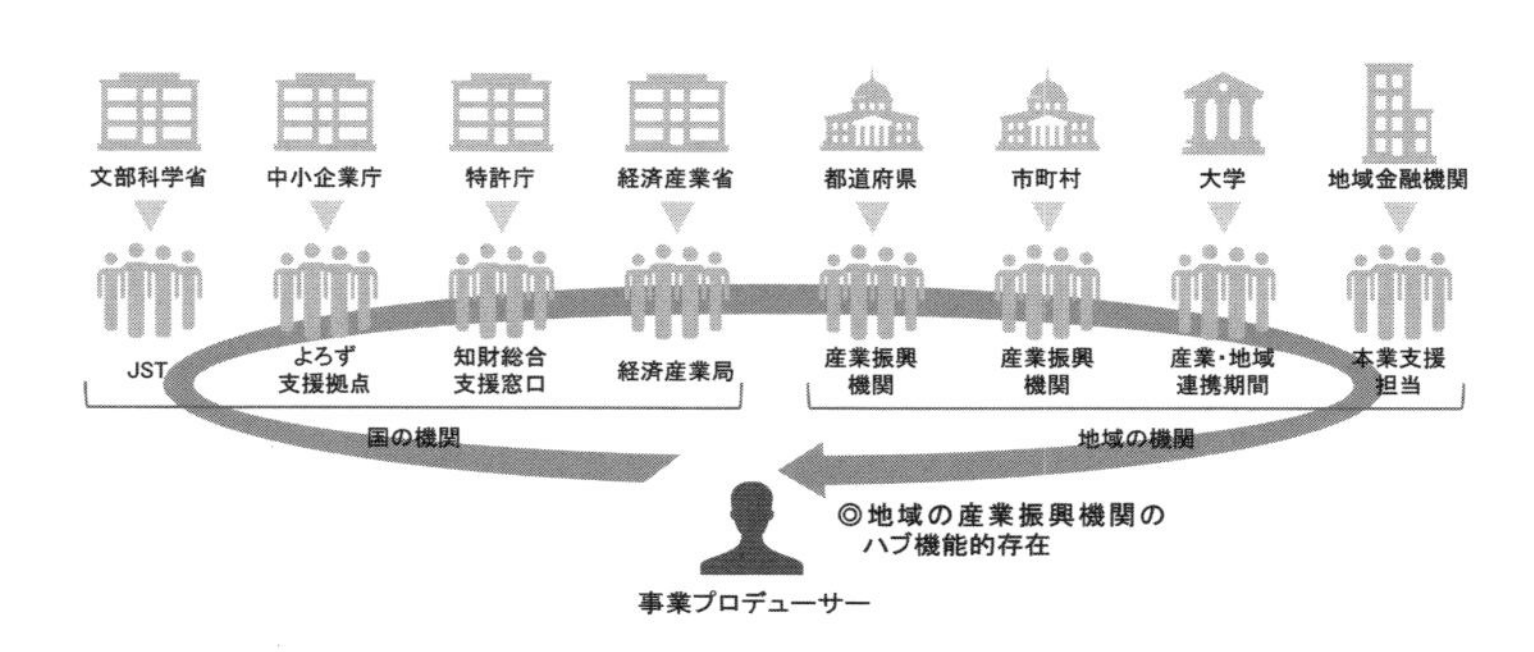

【図1-5　地域における事業プロデューサーの位置付け】
出所：特許庁「地方創生のための事業プロデューサー派遣事業（平成28～30年度）事業実施報告書」より筆者作成

そこに事業プロデューサーへのニーズがあります。必要に応じて、特許庁、自治体、地域の支援機関や金融機関などと連携し、企業経営者と協力しながら、新たな事業を創り上げていくのです。つまり事業プロデューサーが、企業の持つポテンシャルを最大限に引き出し、エリア・系列・しがらみを超えて必要なパートナーをつなぎ、魅力的な仕事を創出することにより、中小企業やベンチャー企業の成長を加速させていくのです。（図1-5）（増山）

事業プロデューサーが備えるべき4つの視点

それでは、企業の価値を最大化するキーマンとなる事業プロデューサーにはどのような視点が求められるのでしょうか。それは、①地域課

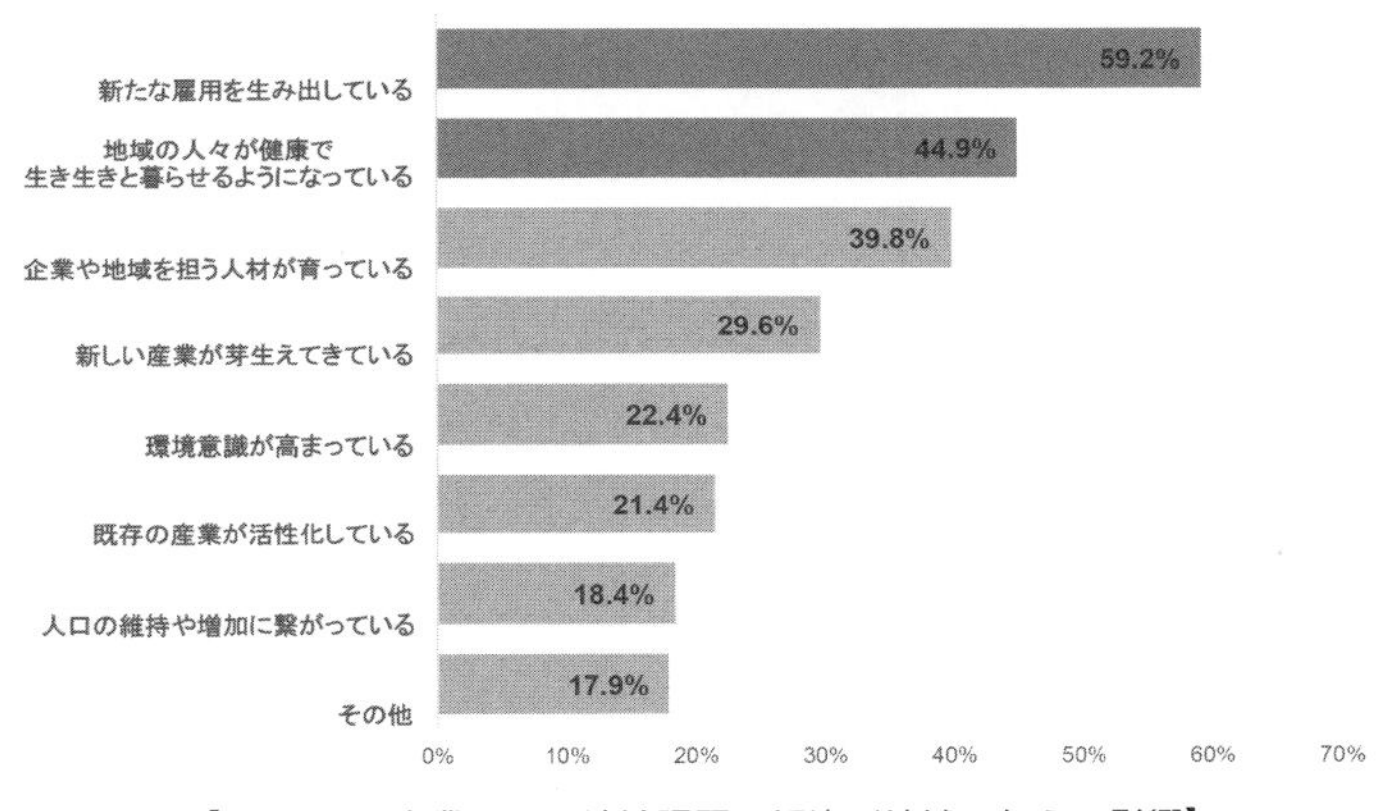

【図１－６　事業による地域課題の解決が地域に与える影響】
出所：中小企業庁「CRSVへの先進的取組に関するアンケート調査」（2014年７月）より筆者作成

題の解決②エリア・系列・しがらみを越えた連携③新たな価値・マーケットの創造④永続性のある成長支援の実行―の４つです。事業プロデューサーが企業支援を行う上で、この４つの視点を持って事業創出に取り組むことが重要と考えますので、それぞれの視点とそのベースとなる意識について述べます。

第１の視点：『地域課題の解決』

第１の視点『地域課題の解決』では、地域で新たに事業を創るに当たって地域課題に耳を傾け、技術・資源を持ち寄り、関係者が一体となって取り組むことがポイントとなります。地域の企業がビジネスとして地域課題に向き合うことで、「地域活性化（地域の課題解決）」と「企業利益の拡大」の両者を実現することが可能となり、持続的な地域経済の進展につながるからです。

中小企業庁「中小企業白書（２０１４年版）」では、「ＣＲＳＶ（Creating and Realizing Shared Value）[6]」という概念が示されています。事業を通して地域課題への取り組みが地域に与える影響について、「新たな雇用を生み出している」「事業や地域を担う人材が育っている」といった、地域経済への貢献が結果として現れていることも報告されています。（図1-6）

今回の特許庁事業では、後述する次の事例が本視点を軸にした取り組みに当たります。▽反射フィルムを活用した安全性の高い自転車を地域のレンタルサイクルに導入したサンケミカルの事例▽静岡県内茶葉の消費量減少に対し高級茶葉の消費量アップを目的に高級ボトリングティーの販売を行ったBenefitea の事例▽自治体とのマッチングによって道路等の公共インフラ管理の改善手段として高精度な位置情報を提供できる技術の実証実験を開始したイージステクノロジーズの事例。

第2の視点：『エリア・系列・しがらみを越えた連携』

第2の視点は『エリア・系列・しがらみを越えた連携』をどう促していくかです。地域課題が複雑化する中で、個社または支援機関、自治体等が単独で各課題に取り組むには限界があります。受験勉強で1人思い悩み点数が一向に上がらない状況を思い浮かべていただくと、分かりやすいかもしれません。企業価値、事業効果を最大化するためには、行政、支援機関、金融機関、対象企業等各主体が連携することがポイントとなります。事業プロデューサーに求められるのは、各主体に横串を刺し、エリア・系列の垣根を越え同業種または異業種の連携を促し、しがらみにとらわれずに支援先と最適なパートナーをマッチングさせ、事業を推進する能力です。さらに行政の政策の推進に民間企業が貢献し、逆に民間企業を行政がサポートするような相互補完関係を構築するなど、各ステークホルダーの間に立って課題解決を図る能力も必要となります。

6　地域に根差した事業活動を行う中小企業・小規模事業者が、事業を通じて地域課題を解決することにより、その地域が元気になり、その恩恵を、地域課題を解決する事業を行う中小企業・小規模事業者が享受するという考え方（出所：「中小企業白書（2014年版）」P439-448より）

今回の特許庁事業では、次の事例が第2の視点を軸にした取り組みとなります。▽金属板金業の町工場が持つ高い技術力を活かしたかんざしを米国で売り出した山崎製作所の事例▽一人ひとりに最適なサプリメント供給することを目的にオーダーメードサプリメントの仕組みを開発したデザインサプリの事例。

第3の視点：『新たな価値・マーケットの創造』

第3の視点『新たな価値・マーケットの創造』は、従来型の日本の中堅・中小企業のビジネスに、プロダクト・アウトの視点が強かったことへの反省に立っています。これまでは市場の成長に伴いニーズの方がシーズの供給量よりも多く、あまり営業努力をしなくても売れる時代でした。しかし、ある程度成熟した今の日本国内マーケットでは、どんなに良い技術・製品／商品でも、差別化や営業努力なしに売ることは難しい状況になっています。また、マーケットにニーズがない、またはニーズに届いていなければ、利益を上げることはできず技術・製品も宝の持ち腐れでしょう。

そこで、事業プロデューサーはマーケットインの視点を持ち、市場ニーズまたはその掘り起こしを重視して事業創造を図ってきました。製品／商品がまだ存在しないのであれば、

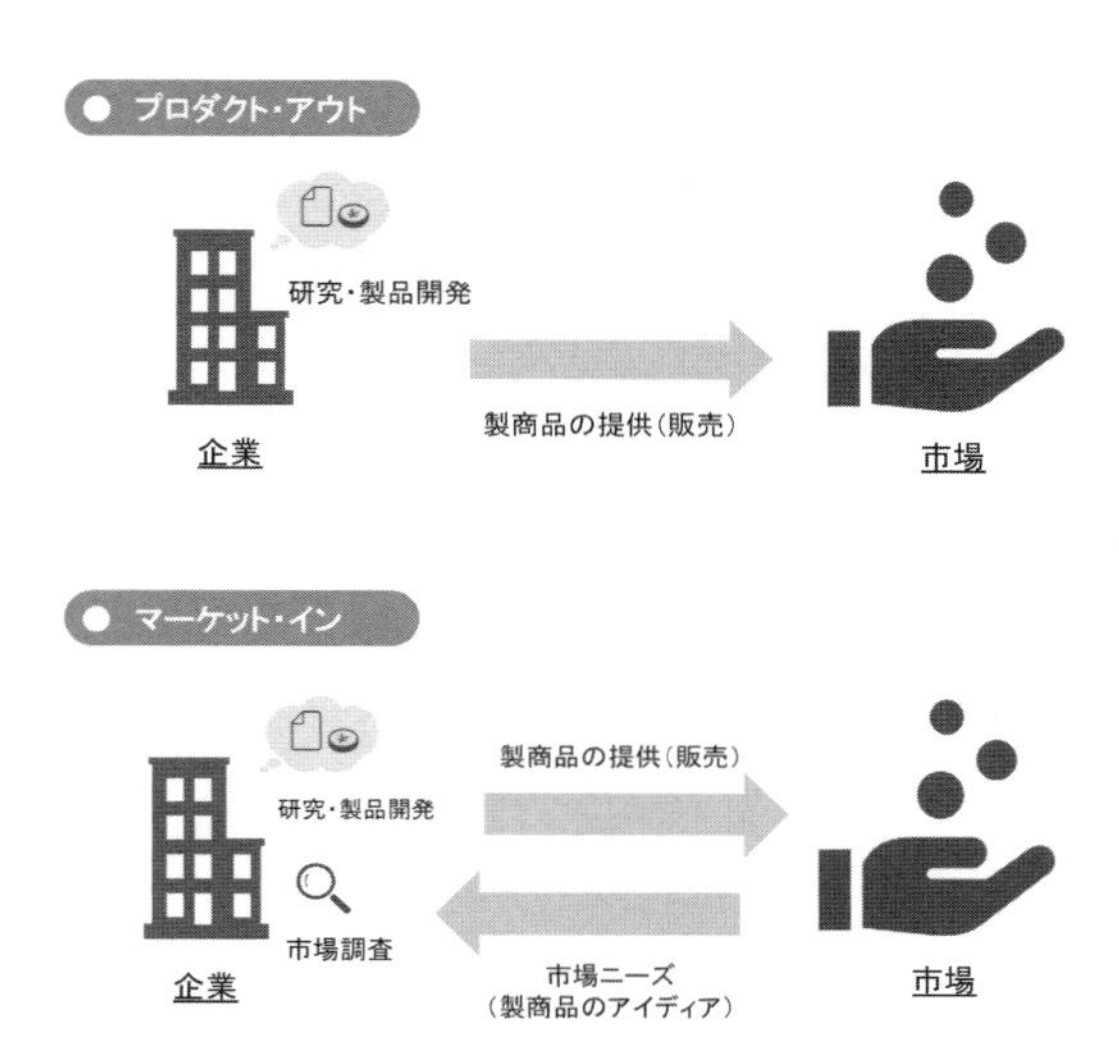

【図1−7　プロダクト・アウト、マーケットインイメージ】

顧客ニーズを捉えた新たな価値を創造するために必要な技術開発を促します。この視点には、知財ありきではなく、新たなマーケットを創造することによって知財を生み出そうとする発想を含みます。

事業プロデューサーには企業の持つ本質的な価値を見極め、強みを活かした戦略を提案することが求められます。そのためには既存の販売チャネルにとらわれず、他連携先のチャネルも積極的に活用する視点が必要になるのです。(図1-7)

今回は、以下の事例が第3の視点を軸とした取り組みに当たります。▽特許技術である「常温常圧濃縮」を活かした無添加・濃縮フルーツソースをプロ向けマーケットに展開する道を開いたマコジャパンの事例▽カリウム濃度を従来品から半減したメロンの価値訴求を行ったHappy Qualityの事例▽海外販路開拓のために日本企業と海外のバイヤーをつなぐプラットフォームづくりを行ったAGLOBEの事例。

第4の視点：3つの視点の基礎となる意識『永続性のある成長支援の実行』

事業プロデューサーが備えるべき第4の視点は『永続性のある成長支援の実行』です。マッチングや販路開拓支援でとりあえず売れさえすればよいといった短期的な意識ではなく、中長期的に企業が成長するための事業戦略を描き、戦略を遂行できる力が必要ということです。これを実行するには、一定のビジネス経験からくるスキルが不可欠となります。言い換えれば短期間に経営状況を把握する能力と、経営者と同じような覚悟を持つことでしょう。事業プロデューサーとしてぜひ意識してほしい視点です。

後述しますが、本プロジェクトの事業プロデューサーはこの視点を大切にして事業化支援を手掛けただけでなく、事業を通して事業プロデューサーの後継となる人材の育成にも努めました。

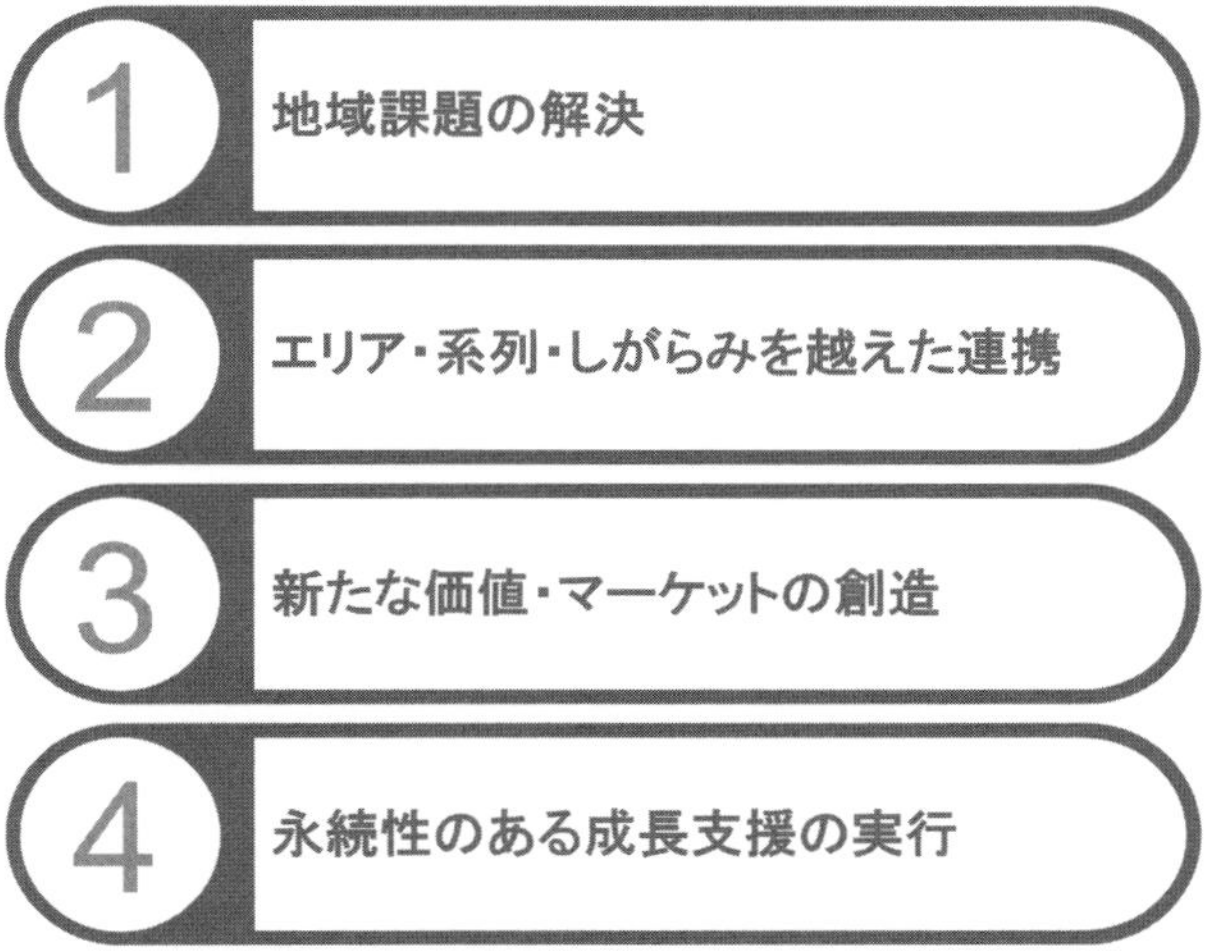

1 地域課題の解決

2 エリア・系列・しがらみを越えた連携

3 新たな価値・マーケットの創造

4 永続性のある成長支援の実行

【図１－８　事業プロデューサーが備えるべき４つの視点】

　事業プロデューサーが１人で、永続性のある事業を生み出し続けることには限界があります。そのため、派遣先の静岡県産業振興財団（以下、「産業振興財団」）、紹介元である金融機関、大学など様々なポジションにおいて、新たな事業プロデューサーの育成につながっていくよう、企業訪問への同行や講師を引き受けるなど、積極的に事業プロデュースのノウハウを伝える機会をつくりました。

　その結果、２０１９年度から事業プロデューサー制度は産業振興財団で継続されており、増山は統括事業プロデューサーとして、この財団の事業プロデューサーと協力しながら、引き続き静岡県内企業の新たな事業化を支援しています。

ここまで見てきた4つの視点（図1-8）に基づく事業化事例について、この後の「第二章　事例にみる魅力的な仕事づくりによる地方創生」で、その背景や特徴について解説していきます。（増山）

第二章　事例にみる魅力的な仕事創りによる地方創生

静岡県では、本事業のスタートから約3年という短期間に16件近くの新規事業が生まれました（図2-1）。現在も新たなチャレンジが続き、企業が売り上げを伸ばし利益や雇用を生み出し、地域が活性化するという好循環が形成されています。第二章では、増山が実務を担った経験を踏まえて事業プロデューサーが備えるべき3つの視点、『地域課題の解決』『エリア・系列・しがらみを越えた連携』『新たな価値・マーケットの創造』について、それぞれ静岡県で事業化された事例を解説します。さらに、第4の視点である『永続性のある成長支援の実行』に関して事業プロデューサー人材の育成に係る活動内容も紹介します。

特許庁や自治体がどのような支援を行っているか、地域の支援機関や金融機関はどのような連携体制を組んでいるか、そして事業プロデューサーと企業はどのように課題を解決し売り上げを伸ばしたかなど実例を通じて明らかにしていきます。

社名	製品・サービス	知財の種類
サンケミカル	自転車用デザイン反射フィルム	特許、実用新案
Benefitea	高級ボトリング茶、スパークリングティー	商標登録
CAIメディア	人工知能（AI）活用の英会話ロボット「チャーピー」	特許
SPLYZA	スポーツ向け交流サイト（SNS）アプリ	特許
マコジャパン	無添加・濃縮フルーツソース	特許
イーブレイン	保険・住宅向けライフプランソフト「未来予想図Ⅰ」	商標登録
三和酒造	静岡番旅酒「伊豆」	商標登録
Happy Quality	低カリウムのマスクメロン「ドクターメロン」	特許
イージステクノロジー	公共インフラ用超小型センサー「Logger One」	特許
山崎製作所	切り絵をデザインしたかんざし三代目板金屋	意匠登録
ミズ・バラエティー	オーダーメイドのサプリメント提案	特許
遠州スプリング	ばねを使ったインテリア商品「SPRING SPRING」	特許
AGLOBE	企業の海外販路開拓支援「Webexpo」	商標登録
モリロボ	自動クレープ焼きロボット「Q]	特許
アドテクニカ	安全確認システム「安否コール」	特許、商標登録
つかさ製菓	Webとつながるアニメケーキ「あにしゅが」	特許

【図２−１　静岡県の事業化事例一覧】

事例①　全国の自転車事故を減らせ！
～視認安全なラッピング自転車の事業化

株式会社 サンケミカル（静岡県富士市）

自動車用向け部品成形（ブロー成形、射出成形）にて高い実績を持ち、複数の自動車メーカー用部品を製造

【創業・設立】2002年12月設立
【従業員数】180名
【代表者名】取締役会長　鑓田利幸
　　　　　　代表取締役　鑓田真一
【事業内容】自動車用樹脂製品、住宅用樹脂製品の製造・販売
【本社所在地】〒416-0931　静岡県富士市蓼原1084-1
【連絡先】TEL：0545-66-3338 / FAX：0545-66-3339

事業化のポイント

株式会社サンケミカル（以下「サンケミカル」）は、三次元曲面にデザインを施した反射フィルムを適用し、外装パーツを成形する新技術を有しています。事業プロデューサーとの連携で、安全性の高い同社の自転車をJR浜松駅に設置される浜松市のレンタサイクル事業（店舗名「はままつペダル」）へ採用してもらう成果を挙げました。その後も沼津市のアニメキャラクター自転車や、磐田市のキャラクターと地元プロサッカーチームキャラクターのコラボレーション自転車などレンタサイクルへの採用が広がり、自治体や企業の認知度向上とともに高齢者や子供の安全性の向上にも貢献しています。

技術シーズ

- 三次元曲面にデザインを施した反射フィルムを張り付け、外装パーツの視認性を高めた部品を製造する技術を開発。
  ※反射加飾成形体：実用新案登録第3169699号（実用新案実権者 REXARD JAPAN株式会社）
- この技術で自転車の前後輪のフェンダー（泥除け）やチェーンカバーなどに反射加工を施し、夜間の視認性を高めることを可能にした。

事業化における課題

- 当初製品化まではたどり着いたものの、販路開拓がなかなか進まないという悩みがあった。

本業と異なるビジネス展開へのヒアリング

サンケミカルの事業化支援は、静岡県産業振興財団からの紹介を受けてスタートしました。「自動車や住宅の樹脂製品を製造している富士市の企業が反射フィルムをラッピングした自転車を製造した。その販路開拓をお願いできないか」という依頼でした。

訪問前に事業内容を確認したところ、会社の本業はブロー成形および射出成形による自動車や住宅用樹脂部品製造で、業績も順調に推移していると分かりました。それでは、なぜこのタイミングで本業とは異なる自転車パーツの加工・販売を始めたのか。その辺りを経営者に直接会って伺うことにしました。

会長との最初の出会いと事業展開への核心

富士市内の本社へ初めて訪問したのは、２０１６年11月初旬、本事業がスタートしてようやく1カ月が過ぎた頃。本社2階の事務所でご挨拶した鑓田利幸会長は、実に物腰の柔らかいスマートな紳士という第一印象でした。

初回の訪問では同社の業務内容やコア技術についてヒアリングしました。フラッシュサイクルに用いられる技術は、三次元曲面へのデザインを施した反射フィルムの張り付け、外装パーツの視認性を高めた部品製造です。これらを生かして自転車の前後輪のフェンダー（泥除け）、チェーンカバーやホイールカバーなどを反射加工し、夜間の視認性を高めます。

同日、製造工程も視察させていただきました。工場では従業員2人がフェンダーの加工作業中で、デザインの異なる反射フィルムを張り付けた製品がずらりと並んでいました。ともすると、車のヘッドライトが反射するフィルムは白や黄色のような淡色だという固定観念がありますが、目の前のフェンダーには、黒や紺といった濃色もデザインに多く取り入れられていました。しかもバリエーションは豊富。反射フィルムにどのような印刷でも施せること、またベースになる反射フィルムだけではなく、印刷されたデザインやキャラクター自体も光ることが驚きでした。直接製品に触れたことで、デザイン性と安全性を両立させた自転車の事業展開が図れると確信しました。

鑓田会長の製品化への想い

では、なぜこのタイミングで本業とは異なる自転車パーツの加工・販売を始めたのでしょう。

最初に「事業の多角化ですか？」と質問をしてみました。本業とする自動車産業や住宅産業向け製品は今後、人口減少やＥＶ自動車普及による国内マーケット縮小の影響を少なからず受けます。そこで売り上げ補完のために高い技術力を活かして異分野への多角化を図ろうとしているのではないか―と考えたのです。

しかし、会長の答えは違いました。

「高齢者や子供の交通事故を1件でも減らしたいのです」

会長のこの言葉に「なるほど」と感心しました。

「本業は順調に拡大し、ここまでやってくることができた。今度は、社会へ何か貢献できないか、技術力を活かしラッピング自転車に応用しようと考えた。安全性の高い製品を製造すれば、世の中から交通事故を1件なりと減らすことができるはず…」

まさに社会貢献への強い意志でした。全国にわたる「地域課題の解決」につながる社会的意義の大きい事業を見据えておられたのです。自治体や支援機関の協力も仰ぎながらぜひ支援したいと、心から感じたことを今でも覚えています。

そのような中で、課題は販路の開拓でした。「安全性の高い自転車」の製品化まではたどり着いたものの、そこから先へなかなか進まないのです。同社は樹脂部品の製造会社。自動車やバイクメーカーへの販路は持っていても、自転車となると勝手が違います。どのように販路を探し、ブランディングしていけばいいのかが切実な悩みでした。ひと通りお聞きした内容を持ち帰り、事業戦略を立案すべく検討することにしました。

販売戦略の立案

販売戦略は「販売戦略シート」に基づいて策定していきます。最初に検討したのは、反射加工を施したフェンダー（泥除け）、チェーンカバーやホイールカバーなどについて、大手自転車メーカーへライセンス契約するという方法でした。同社の技術力は高いのですが、一方で本業と異なる製品の販路を紹介したとしても、その後の交渉や販売管理に苦労することが予測されます。そこで、ライセンス契約によって収入を得つつ、販売は大手に任せた方がよいとの判断がありました。

ちょうどその頃です。地元の静岡新聞に「浜松市でレンタルサイクル事業開始」の記事が掲載されたのです。それを読んで閃きました。「安全性が高く加飾可能な反射フィルムなら、地元のゆるキャラとのコラボレーションで、自治体のレンタサイクルにふさわしいラッピング自転車ができるかもしれない」。

すぐに浜松市へ連絡を取り、レンタサイクル事業を管轄するセクションを確認した上で、後日同社の自転車について概要を説明するため、同社と共に市役所を訪問する約束を取り付けました。

浜松市との打ち合わせ

最初の浜松市訪問時、反射フィルムのラッピング技術やその安全性について詳しく説明しました。以後、市との打ち合わせを重ね、その都度サンケミカル社にも同席いただきました。

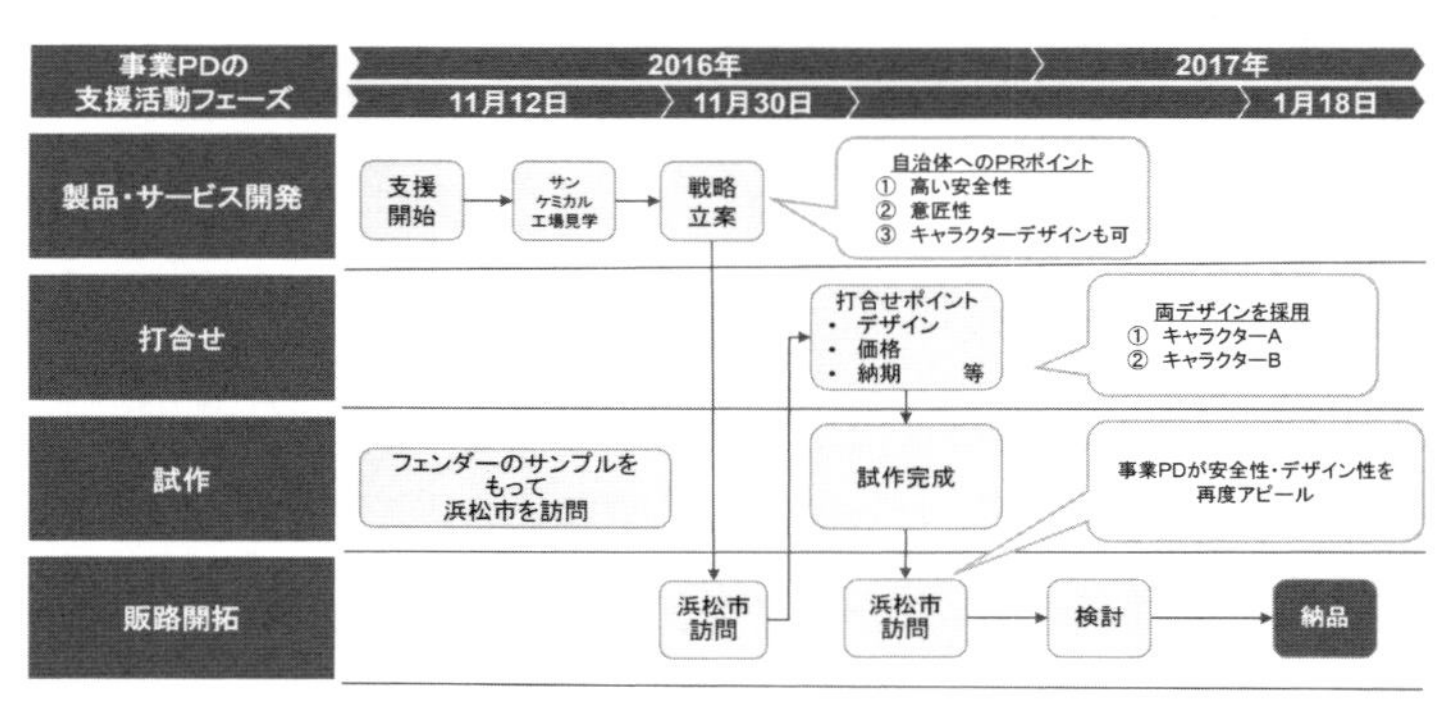

【図2−2　事業化までのスケジュール】

そして、デザイン性と安全性を兼ね備えた点を評価していただくとともに、浜松市を舞台にしたNHK大河ドラマの放映時期が重なるというチャンスにも恵まれました。市が版権を持つ番組キャラクターと全国的人気の浜松市キャラクターの使用許可も得ました。こうして、最終的に両キャラクターの並んだデザインが採用される運びとなったのです。

浜松市への納品と特許庁事業化への認定

最終的にデザインが決定したのは、浜松市への提案から約1カ月後の2016年12月末。翌年1月中旬には市へラッピング自転車を納品しました。サンケミカルへの最初の訪問から約2カ月後のことです。知的財産を有する製品を自治体のレンタサイクル事業とマッチングさせ、交通事故防止という地域課題の解決を目

指した事例は、事業化の全国第一号として特許庁から認定をいただきました。（図2-2）

全国へ広がった会長の想い

自治体や企業などをPRするアニメキャラクターは国内外に存在しています。浜松市の採用が呼び水となり、レンタサイクルはその後も他の自治体への導入が相次いでいます。沼津市は、全国的人気のアニメキャラクターの聖地として知られています。そのキャラクターを印刷したラッピング自転車をサンケミカルから、沼津市へ寄贈しました。事業プロデューサーが東京のライセンサーに出向き、キャラクターの使用許諾を得て実現しました。現在、沼津市ではレンタル予約が殺到していると聞いています。また奥浜名湖でも、寄贈した地元プロバレーボールチームのキャラクターを印刷したラッピング自転車がレンタルされています。さらに磐田市役所に協力いただき、市のキャラクター「しっぺい」と地元プロサッカーチームのキャラクターの使用許諾を得て、コラボレーションしたラッピング自転車を製作して寄贈しました。こちらも事業プロデューサーが間に入り、様々な調整に当たりました。現在自転車は磐田市観光協会でレンタサイクルとして使用されています。

【図2-3　同社ラッピング自転車[7]】出所：株式会社サンケミカル提供資料

その後も静岡県内だけでなく、県外自治体からもキャラクター自転車を製作できないかとの問い合わせが相次いでいます。「交通事故を1件でも減らしたい」という鐙田会長の想いは全国へ広がっているのです。(図2-3)

7　ラッピング自転車は左右スポークのハブにホイールカバーを設けます。また、走行中においてもカバーは回転せず、描かれているデザインが反射フィルムにより反射するため、通学・通勤等の交通安全につながり、加えて地域キャラクター観光等の広告塔として、街の活性化にも役立つ商品です。

鑓田会長のコメント

当社が販売戦略に悩んでいた時から、２カ月という異例の早さでニーズに合った製品が出来たことは増山事業プロデューサーの戦略と実行力の結果と、改めてお礼を申し上げます。当社の弱い部分に入り込み販売にこぎ着けたことで会社のモチベーションも上がり、非常に心強く感じました。

自転車事故を1件でも減らすことが当社の使命と考え、これからも安全性の高い自転車の販路拡大に努めてまいります。また現在、介護用の車椅子へのラッピング技術活用も検討中です。私たちの技術が世の中を豊かにすることにつながるよう、今後の展開を図ってまいります。今後ともご支援の程よろしくお願い致します。

事例②　高級茶葉の消費を拡大する！
～静岡茶使用高級ボトリングティーの事業化～

Benefitea株式会社（静岡県静岡市）

清涼飲料水・食料品・健康食品の企画、製造・販売を手掛け、県内茶農家の支援を目的に高級ボトリングティーの開発を行う

【創業・設立】2015年４月設立
【従業員数】３名
【代表者名】代表取締役　西沢広保
【事業内容】高級ボトリングティーの製造・販売
【本社所在地】静岡市葵区一番町８-６
【連絡先】050-3478-5121

事業化のポイント

Benefitea株式会社（以下「Benefitea」）は、ペットボトルや急須で飲むお茶にはない高い味わいや繊細な香りを再現する高級ボトリングティーの開発に成功しました。事業プロデューサーと連携して、商標登録出願および都内大手百貨店に常設販売が決まりました。その後も和食レストランとのコラボレーションや炭酸入りのスパークリングティーの新商品開発を通じて茶葉の消費拡大に貢献しています。

技術シーズ

- 茶葉原料本来の成分を凝縮したエキスを抽出する特殊製法を考案。
- 旨味成分のアミノ酸や香気成分が凝縮され、急須で飲む緑茶とは異なるワインのような芳醇な味わいが特徴。

事業化における課題

- 製品化にはたどり着いたものの、高級ボトリングティーブランドを製法は非公開にしながら、どのように保護するのがよいのか。

1本2万円のお茶との出会い

Benefitea の事業化支援は、トーマツ静岡事務所からの紹介がきっかけでした。「静岡市内に、お茶をボトルに詰めて販売している会社がある。2万円を超すボトリングティーを扱うなど高級品だが、売り上げは順調で評判も高い。販路拡大を検討しているようなので一度訪問をお願いしたい」とのことでした。

ペットボトルのお茶なら100円前後で買える時代に1本2万円を超えるお茶が売れているという、にわかには信じがたい話でした。事業内容を確認したところ、既にいくつかの茶生産者と協働でボトリングティーの製造、販売を進めておられました。同社のホームページには高級ブランド茶葉で有名な産地の製品がずらりと掲載されていました。なぜ高価なボトリングティーが売れるのか。お会いして理由を伺うことにしました。

パワフルな西沢社長との出会い

最初に西沢社長とお会いしたのは2017年2月初旬。本事業がスタートしてから4カ月ほどが過ぎ、県内で事業が認知され始めた頃でした。企業訪問は1日に2～4社だったでしょうか。

西沢社長からは、全身から湧き出るパワーのようなもの、言い換えれば強い人間力のようなものを感じたことをよく覚えています。その後も様々なプロジェクトでご一緒していますが、パワフルな印象は現在も変わっていません。

初対面の折、同社の設立経緯、高級ボトリングティーの製造ノウハウ、お茶生産者との取引関係や販路、さらに今後の事業展開などについて詳しくお聞きしました。中でも興味深かったのは、県内のみならず全国のお茶農家と深い付き合いをされていることでした。事業拡大に向けて大きな武器をお持ちだと思いました。

さらに印象的だったのは、西沢社長の考え方が実にオープンなことでした。いつもなら、「特許庁事業って一体何？」「事業プロデューサーは何者？」とまず警戒する方が多いのですが、西沢社長は初めから当方の質問に躊躇なく、それもパーフェクトに回答されたのです。このオープンさがあるからこそ、今も互いに信頼関係が続き、事業を推進していけるのでしょう。

1本2万円でも売れる理由と製品化への想い

初めてお会いした席で、最も興味のあった「なぜ1本2万円を超える高級ボトリングティーが売れるのか」という点をストレートに尋ねました。その答えは実に単純なものでした。「良い茶葉を使い、時間をかけて丁寧に抽出しているから当然高くなる。良いものは高くても売れる。本当に味が分かる人には理解してもらえる」。

その回答を受けて、そもそもなぜこの高級ボトリングティーの製品化に取り組まれたかも気になり、続けて伺いました。

取り組みの背景は、地域課題の解決でした。静岡県には全国に誇る高級茶葉の生産者が多く、ブランドも確立しています。しかしペットボトルのお茶に押されてリーフ茶の購入量、購入金額はここ数年減少傾向です（図2-4）。さらに売り上げ減少に加え、少子化による後継者不足などから事業承継が進まず、県内茶園は耕作放棄地が年々増えている状況です。

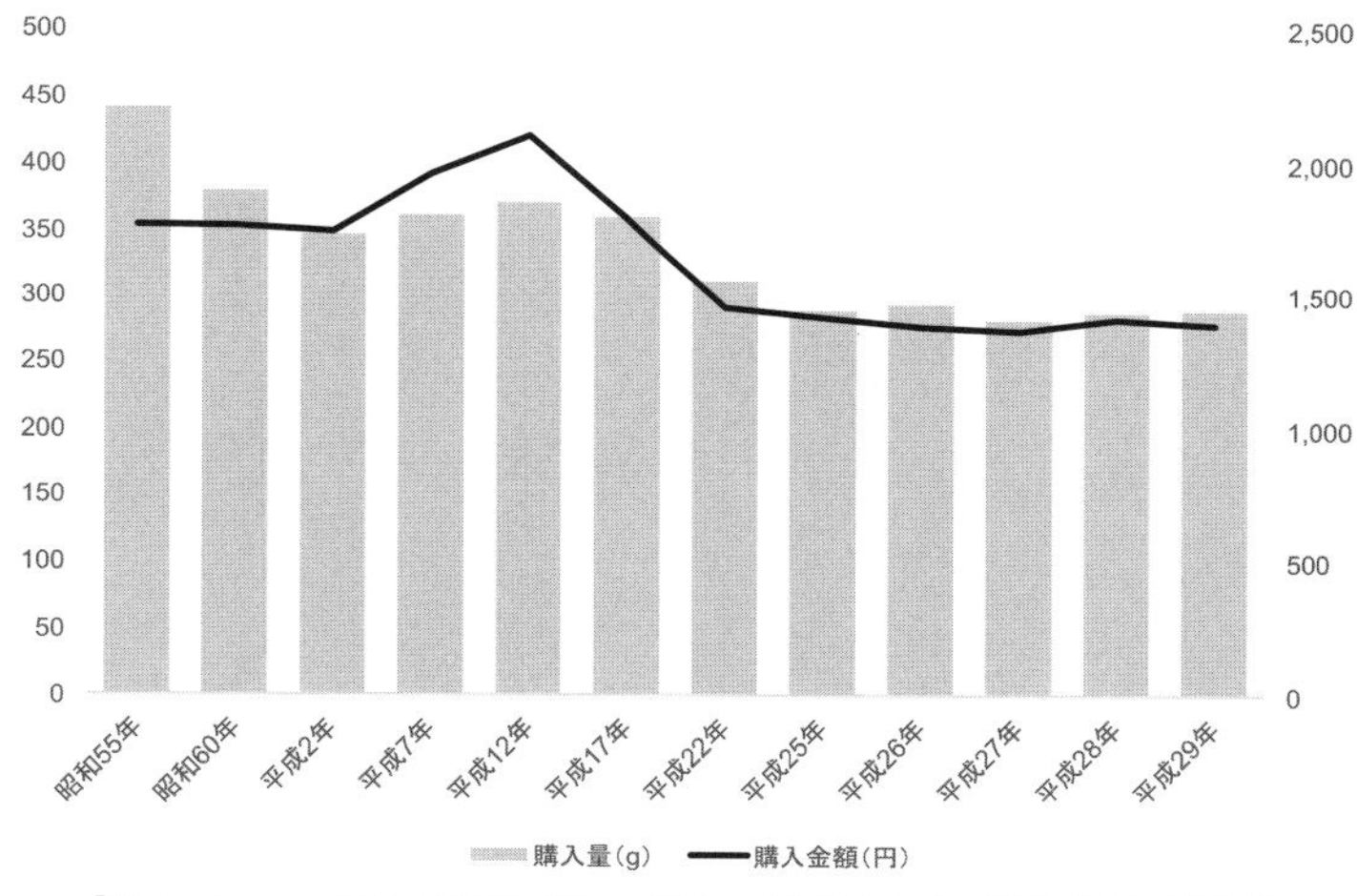

【図２−４　１人当たり緑茶（リーフ茶）の購入量および購入金額の推移[8]】
出所：「静岡県茶業の現状〈お茶白書〉（平成30年３月版）」より筆者作成

「こうした地域課題の解決のため、高級ボトリングティーが一役買えると考えています。高級ボトリングティーの製造や販売拡大は、高級茶葉の消費拡大につながる。お茶生産者の売り上げが増加すれば、後継者も現れる。Benefitea の儲けはその後から付いてきてくれればいいと思っています」。西沢社長はそうコメントしてくれました。

この言葉で、高級ボトリングティー開発の背景に、地元静岡の茶農家が抱える課題を解決したいという想いがあること

8　1世帯当たりの数値を1世帯の人数で割り1人当たり年間購入量および購入金額を試算

が分かりました。事業の拡大にはっきりと意義を感じ、同社を積極的に支援することになったのです。

高級茶葉の消費量拡大にはさらなる販路の拡大が不可欠でした。また、このボトリングティーの製造技術を保護するための知的財産の権利化ができていませんでした。ひと通り事業内容や課題を伺い、事業戦略の検討に入りました。

販売戦略とブランド戦略立案への取り組み

ヒアリング内容を基に知財戦略、販売戦略およびブランド戦略の課題と方向性を煮詰めていきました。知財戦略については西沢社長から以下２点の要望がありました。

① 茶葉から旨味を抽出する製法は、技術的に特許出願が可能だが製法を開示したくない。

② 製法の開示はしたくないが、ボトリングティーを保護するため、何かしらの知的財産の権利化はしたい。

先行して、一般社団法人静岡県発明協会知財総合支援窓口の宮枝清美さんが特許出願する場合とノウハウを秘匿する場合のメリット・デメリット、商標登録出願の基礎的な事項や出願時の考え方などについて助言されていました。宮枝さんと連携しながら、製法名「コールド・エクストラクション製法」の商標登録（商願２０１７−０４２２００）を行うことで、製法を非公開としながら高級ボトリングティーブランドを守り、他社の類似製品の相乗りを防ぐ戦略を立案できました。

次は販売戦略です。西沢社長は、過去に名の知れた製品の全国販売を手掛けた経験を持つ凄腕営業マンです。高級ボトリングティーについても国内外に独自のルートがありました。そこで販路開拓では西沢社長とは異なる販路を探り、相談しながら進めていく方法を取りました。

さらにブランド戦略も検討しました。Benefitea のボトリングティーは高級であるが故にブランドの持つ意味は大きく、戦略を間違えると売れるものも売れなくなる、あるいは一度売れたとしても長続きしないことになりかねません。まずは高級茶葉を使った2万円を超す高価格帯のボトリングティーの販売に傾注し、一定の認知を得た後、一般価格帯製品を充実させていく方向で西沢社長と意見が一致しました。

お茶農家訪問とヒアリングの実施

同時期に茶農家を訪問し、現在の静岡県下のお茶の状況についてヒアリングしました。これによって静岡茶のいくつかの課題が見えてきました。

いうまでもなく静岡県は全国有数のお茶どころ。しかし、近年ペットボトルのお茶が普及し、急須で入れて飲む茶葉の消費量が減少し、その生産量も鹿児島県など他県に肉薄されています。静岡県の茶は産業として安泰と考えていたのですが、どうやら状況は変わりつつあることが浮かび上がりました。

訪問したお茶農家からは次のような声が聞かれました。「オーガニック栽培に切り替えれば海外への輸出など新たな販路を開拓できるが、その生産までに数年を要する。その間、害虫被害などによる生産量の減少で売り上げは落ち込む。生活を考えるとなかなか踏み切れない」。

また近年、後継者難によって耕作放棄地が増加傾向にある中、静岡県の新たな取り組みとして、耕作放棄地にオリーブを植える動きが出ているとのことでした。オリーブの国内

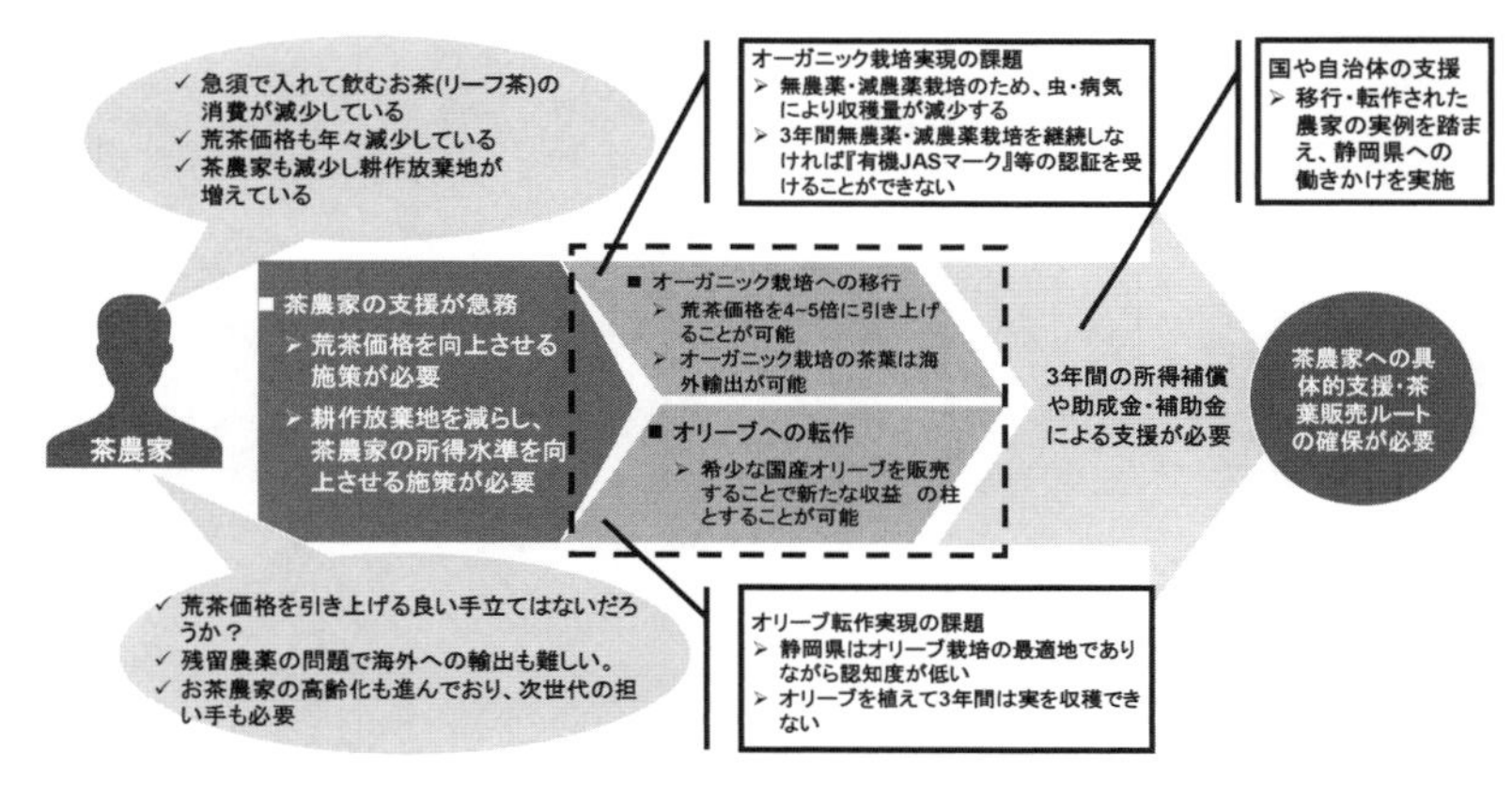

【図2-5　お茶農家へのヒアリング概要】

産地として小豆島が有名ですが、実はオリーブオイルの国内生産量はほんのわずかで、消費量の99%以上が海外からの輸入です。既に静岡産オリーブの収穫は始まっていて、いずれ一大産地となる可能性もあるようです。時間はかかっても、こうした動きに期待するお茶農家も出てきています。

これはこれで耕作放棄地活用策の1つとなっていくのでしょうが、やはり静岡県は引き続きお茶の生産地として成長、発展を目指さなくてはなりません。それには、まず茶葉の販売ルート拡大が肝要です。高級茶葉を大量に使用する高級ボトリングティーの製造・販売は、茶葉の消費量を拡大するという地域課題の解決につながる取り組みとなるのです。(図2-5)

都内大手百貨店の常設決定と販路拡大

西沢社長と共に進めた販売戦略は、その後大きく実を結びます。都内大手百貨店の基幹店への常設が決定し、高級ブランド化戦略の第一歩となりました。いくつかの展示会への出展も決まり、大手スーパー、コンビニエンスストアをはじめ大手航空会社のギフトとしても採用されるなど販路は着実に広がりを見せています（図2-6）。

【図2-6　展示会の様子】

「高級茶葉の消費を拡大したい」西沢社長の想いは着実に形へ

高級ボトリングティーは順調にお茶農家との契約を増やしています。京都府・宇治茶、三重県・伊勢茶、埼玉県・狭山茶など、県外ブランドの高級ボトリングティーも続々ラインナップに加わりました。和食シェフとのコラボレーションイベントの開催やイタリア高級車の景品への採用もありました。海外でもドイツ・デュッセルドルフやアメリカ・シカゴでの展示会に出展して好評でした。

炭酸入りのお茶「スパークリングティー」を新たに開発したことで、同社の商品ラインナップはさらに充実しました（図2-7）。

駅ナカの店舗でも常設販売され、生産が追い付かず品切れ状態になるほど。スパークリングティーの種類は徐々に増え、サーバーによる提供も始まっています。

また、飲料としての活用だけでなく、食肉と茶葉を合わせた製品の開発にも取り組むなど、静岡の高級茶葉の可能性も広げています。

「高級茶葉の消費を増やし、お茶農家の売り上げ増加に貢献したい」との西沢社長の想いは、着実に形となっています。

【図2-7　同社製品ラインナップ】
出所：Benefitea株式会社提供資料

西沢社長のコメント

当社が高級ボトリングティーのブランド戦略や販売戦略で悩んでいたとき、増山事業プロデューサーのアドバイスや静岡県知財総合窓口のご担当者に協力いただきました。それによって、迅速にブランド展開や商標登録出願を進めることができたのです。また大手百貨店への常設展示などにも一緒に取り組んでまいりました。大手コンビニエンスストアや大手航空会社のギフトにもお使いいただき、食肉への転用なども進めております。今後も増山事業プロデューサーと共に高級ボトリングティーのブランド化に努め、静岡の高級茶葉を引き続き広めていきたいと考えています。ご支援の程よろしくお願い致します。

事例③　道路の異常を即座に見つけ出せ！
～超小型・先端的センシングデバイスの事業化～

株式会社イージステクノロジーズ（静岡県沼津市）

各種極小型センシングデバイスの設計、開発、ロボット関連開発（FA関連躯体、感情エンジン、アプリケーション）、データマイニングサービス、クラウドデータ/ビッグデータ解析など

【創業・設立】2013年１月設立
【従業員数】２名
【代表者名】代表取締役　茅野修平
【事業内容】小型センサー
【本社所在地】沼津市岡一色725-１
沼津インキュベーションセンター研究エリアB6
【連絡先】TEL：055-941-8525 / FAX：055-957-5502

事業化のポイント

沼津市の企業、株式会社イージステクノロジーズ（以下「イージステクノロジーズ」）は、超小型センシングデバイス『Logger One』を開発しました。支援依頼を受けた事業プロデューサーは、同社の事業提携先、実証実験先および販売先とのマッチング支援を行いました。製品は、ドローン等ロボティクス最新技術の開発・事業化企業、県内土木企業および県内大学研究室等に採用され、さらに事業プロデューサーが沼津市と協議し、同市を実証フィールドとした実証実験の実施も決定しました。実証実験によってリアルタイムで路面情報を取得し、道路の異常を即座に発見することで道路の維持管理コストの大幅削減につながると期待されています。

技術シーズ

- 従来品比1/6の小型化と1/10の低価格化を実現したセンシングデバイス『Logger One』を開発。
- 電子回路の配列等を工夫することで極小サイズを維持しながらも、位置情報や加速度、傾き、気圧、温度など複数のセンサーの組み込みを可能とし、±200℃の厳しい温度環境にも耐え得る耐久性も実現。
- 特に位置情報については、GPSと組み合わせることで、通常10m程度の誤差を15cmまで縮めた。
- 遠隔地でリアルタイムに道路の振動や傾き等の保守整備データをモニタリングすることで、欠陥の早期発見・修繕を可能とした。集中工事が必要となる頻度を低減し、道路の維持管理コストの削減に結び付くと期待される。
- データロギング装置、収容箱とその製造方法（国際特許出願：PCT/JP2017/008002）他5件を国際出願済み。

事業化における課題

- 道路等の公共インフラ管理の改善手段として、高精度な位置情報を提供できる『Logger One』を用いることを構想していた。実現には一定間隔で道路に敷設し、実証試験（ビッグデータ取得・分析）を行う必要があった。そのためには実証実験のフィールドを提供できる自治体探しや、高速道路会社等の関係者との調整を行わなくてはならないが、同社にはそのノウハウがなかった。
- 技術の応用分野が多岐にわたるため実証実験以外にどういった先に売り込むべきか絞り切れていなかった。

無限大の可能性

イージステクノロジーズの事業化支援は、静岡県産業振興財団からの紹介でスタートしました。当初の依頼は、「超小型センシングデバイスの開発・活用で様々な可能性を持った会社が沼津にある。産業振興財団も将来性に期待している。むしろ可能性が多すぎるほどで、どの事業で収益を上げていくか選択と集中についてアドバイスしてもらえないか」という内容でした。

事業内容を確認したところ、デバイスは手のひらサイズの小さな箱で、ＧＰＳの位置補正や振動データのリアルタイムモニタリングなど多様なデータ収集が可能と分かりました。見た目は小さくても可能性は無限大と感じ、どこまで事業化に関われるか大変興味を抱きました。事業化に当たり超小型センシングデバイスのコスト、経営ビジョンなどについて経営者から直接お聞きすることにしました。

最初に茅野修平社長とお会いしたのは２０１６年12月中旬。その日、朝早く寒さが厳しかったことを覚えています。東海道新幹線からＪＲ東海道本線に乗り換え、本社のある沼津へ向かいました。本事業がスタートしてから２カ月、１日に２～４社のペースで様々な業種の企業を訪問していたため、面会は短い時間となりました。

茅野社長が事業プランを語る姿からは、誠実さと意志の強さが伝わってきました。その後も多くの会合やテレビ取材などでご一緒しておりますが、会話の合間にジョークを交えるなどお茶目な一面をお持ちで、実にバランスの取れた優れた経営者だと感じています。

初回訪問時、同社の業務内容、超小型センシングデバイスの製造コストや経営ビジョンについてあれこれお聞きするうちに、「小さい箱が持つ無限大の可能性」との印象は確信に変わっていったのです。

茅野社長の事業化への想いとは

今後の経営ビジョンを次のように語ってくださいました。「Logger One の活用で道路やトンネルの傷み具合、車の大きさを含め通行状況が遠隔地にいてリアルタイムに把握することができる。離島などでも気温、湿度、地盤の揺れ、プレートによる数㎜の変動までデータが取れる。データを活かせば、道路補修などの人材不足問題、財源不足問題などの解決が可能となる」。

この小さなセンシングデバイスによって、人が道路やトンネルなどのインフラをいちいち点検しなくても状態が分かるようになるのです。これはまさしく人口減少に直面する日本にとって救世主となり得る技術と言えます。

国際特許は出願済み（PCT/JP２０１７－００８００２）で権利面は担保されていましたが、事業化に向けて、国、自治体や企業へセールスするには、まだ実証実験データが不足しており、この点をまずクリアする必要がありました。また、応用分野が多岐にわたるため、売り込み先の優先順位も付けなければなりませんでした。

実証実験データの地元への還元

ヒアリング内容を踏まえて対応を検討しました。技術の応用分野については、道路等の公共インフラ管理の改善手段とすることを優先しました。リアルタイムで路面情報を取得し、道路の異常を即座に見つけられれば、道路の維持管理コストの大幅削減につながるはずです。ＧＰＳの位置情報については、自動車の自動運転技術にも応用できますが、事業化までには時間がかかると判断しました。

実証実験は、本社がある沼津市でお願いすることとしました。地元の自治体であり協力を得られやすいことや、移動距離などを考えれば時間、コストを削減できます。実証実験データを地元へ還元し地域課題の解決につながれば、さらに社会的意義の高い事業ともなります。

販売先の絞り込み

多分野多業種にリーチできる超小型センシングデバイスは、逆に何でも利用できる品だけに集中と選択が難しい事業とも言えます。道路（公共交通インフラのリアルタイム監視）、自動車（GPS高精度位置測位）、宇宙、建物、農業、工場、ドローンなど幅広い分野で事業構築が可能なのですが、果たしてどこから手を付けるのが一番効率的なのか。そこで事業の実現可能性に優先順位を付けたのです。特に公共交通インフラリアルタイム監視に注目しました。社会的ニーズが高く、すぐにでも事業化が見込める分野として、そこでの事業化を優先することにしたのです。ドローンへのLogger One搭載についても土木企業、大学研究室との事業化を進めました。

沼津市および関係者会社とのマッチング

２０１７年10月に沼津市の担当課、高速道路会社、保守整備会社等の担当者約20名が一堂に会しました。事業プロデューサーがセンシングデバイスの有効性や将来性などをコメントし、実証実験への理解を求めました。その結果、沼津市内数カ所での実証実験が決定しました。

茅野社長と最初にお会いしてから沼津市の実証実験が決まるまで10カ月以上。事例の中でも時間を要した案件の1つです。いよいよ実証実験データの収集できることとなり、超小型センシングデバイスの販売拡大に向けて弾みがつきました。

その後の展開

今は、実証実験からリアルタイムで得られる振動や傾き、移動などのビッグデータを分析し、解析精度を高めています。この解析データを基に、公共交通インフラに関係する企業へのアプローチを積極化させています。また、自動運転精度を高めるサービスとして大手自動車メーカーとの提携を模索中です。さらに地震予測、航空宇宙分野など同社の高い技術力を活かせる、次の分野への進出も視野に入れています。

茅野社長のコメント

弊社は、人工衛星基準のハードウエア設計開発力と、多分野多業種にリーチできる高精度なデータ分析技術、次世代型高精度位置測位技術（㎜誤差精度の実装）を同時に提供することで、新たなソリューションを提案していく技術開発系ハイテクベンチャーです。

「to your SHIELD　全ての人に平等な安心と安全を」を胸に、技術のチカラで生活の安心と安全と、何より日々の笑顔を当たり前に守れる企業として、地域や問題に対し誠実に向き合い、成長していきたいと考えています。増山事業プロデューサーの的確なマーケティングアドバイスで、足元の売り先を特定することができました。今後の海外展開に向けても販売と知財の両面で支援をお願いします。

事例④　町工場から世界を目指せ！
～『KANZASHI』
（ブランド名：三代目板金屋）の事業化

株式会社 山崎製作所（静岡市清水区）

金属板金・精密加工・表面処理の高い実績を持ち、製品の一貫生産から、パーツ部品製作まで対応

【創業・設立】1970年９月
【従業員数】25名
【代表者名】代表取締役　山崎 かおり
【事業内容】精密板金加工全般
【本社所在地】静岡県静岡市清水区長崎241番地
【連絡先】TEL：054-345-2186 / FAX：054-346-4392

事業化のポイント

株式会社山崎製作所（以下「山崎製作所」）は、産業機械、工場設備、医療機器等の切断、曲げ加工、溶接組み立て、塗装・表面処理などの金属板金業を営んでいます。長年培い磨き上げた切り、叩き、曲げといった板金加工の基本技術を活かし、和をモチーフとした切り絵のような繊細で美しいデザインのかんざしを開発。新規ブランド「三代目板金屋」を立ち上げ、新商品名を『KANZASHI』としました。海外展開を模索する中、事業プロデューサーによる知財戦略、販売戦略の立案支援を受け、『KANZASHI』の米国での販売開始が決定しました。

技術シーズ

- 工作機械や医療機器などの板金加工で長年培った精密板金加工技術。
- 下請けからの脱却を図るため、女性の視点も取り入れて板金加工技術を活かしたかんざしを開発し、新規ブランド「三代目板金屋」を立ち上げ、新商品名を『KANZASHI』とした。
- 繊細なデザインと機能性が女性に好評を博している。

事業化における課題

- 国内本格販売に当たって、知財戦略、ブランディング、販売戦略についての経験が不足していた。
- 海外展開も検討していたが、外国語による契約条件の交渉、締結に不安があった。

日本古来のかんざしへの着目

静岡県産業振興財団から受けた山崎製作所の事業化支援の依頼内容は「金属板金業が本業の会社がかんざしをデザインして販売を始めている。一度訪問してみないか」というものでした。

例によってホームページなどで事業内容を確認してみると、本業である金属板金業では通常加工製品以外にインテリア製品などデザイン性の高いものを製造していて、技術力の高さが見て取れました。『三代目板金屋』というブランドで展開する『KANZASHI』は、デザインが豊富で大変魅力的な製品ばかり。

なぜ日本古来のかんざしに着目したのか、販売ルートなどはどうしているのかなどの疑問については二代目女性社長に直接お会いして伺うことにしました。

三代目板金屋事業の開発経緯

山崎社長との面会は、２０１７年4月中旬です。静岡県産業振興財団の石山主幹も同行しました。本社工場は普段通る幹線道路の近くで、建物も度々見かけていたのですが、失礼ながら何の工場か知りませんでした。三代目板金屋『KANZASHI』の事業化のリリースペーパーに付けた副題「町工場から世界へ」は、最初に本社を訪問した際に受けた印象をそのまま使っています。

山崎社長に伺ったのは、二代目女性社長に就任した経緯、当時の苦労、業況、主要製品、および三代目板金屋ブランド『KANZASHI』を開発した経緯と今後の事業展開などについてです。社長就任時にご苦労された経験とかんざしの事業化の経緯が特に印象に残りました。

先代から社長を引き継いだ当初は、女性だということで周囲の反発もあったようです。今でこそ職人の世界で女性経営者が名を上げることは珍しいことではありませんが、当時はそこまで来ていなかったのでしょう。いろいろな批判に悩んだそうです。しかし、板金屋の技術力を世の中に知ってもらいたいとの強い想いで従業員に理解を求め、日本古来のかんざしを新たな魅力を持つ『KANZASHI』として展開することに踏み切ったのです。そこに山崎社長の女性らしい感性や発想力が生かされました。

知名度向上と海外販売戦略

企業価値を向上させるブランド戦略にはいくつかの方法があります。代表的なところでは、テレビ、新聞、雑誌、インターネットなどに多額の費用をかけて広告を掲載しイメージアップを図る方法があります。しかし、大企業ならともかく、中小・ベンチャー企業の体力でこの方法の選択は困難です。そこで、取り得る方策となるのが本業の技術力を活かして開発した製品を、消費者向けブランドとして浸透させることです。本業とのシナジー効果によって利益を稼ぎながら知名度も上げていく。結果として企業向け取引が中心だった本業を一般消費者にも広く知ってもらえるのです。

こうした事例は、大手企業にも見ることができます。例えば、大手工業用化学品メーカーの東亜合成株式会社について、カセイソーダなど基幹化学品分野で業界では知らない方はいないと思います。一方で一般消費者は『アロンアルファ』という瞬間接着剤の製品名で知るケースが多いでしょう。

規模は違いますが、山崎製作所の場合も三代目板金屋『KANZASHI』の知名度がアップすればするほど、結果として本業である板金屋のブランド価値向上に結び付くのです。

従って、販売戦略は三代目板金屋『KANZASHI』を広く知ってもらうことを軸にして立案することとしました。ヒントになったのは山崎社長の次の言葉でした。「最近、都内百貨店で展示会の依頼が多くなったのは嬉しいが、着物など和装イベントの展示に偏っている。本当は和装のみならず洋装でも普段使いできるかんざしとして知ってもらいたい」。日本では「かんざし＝和装」のイメージがほとんどです。それならばまず海外で、髪を挿して留める習慣のある方々に広く知ってもらったらどうかー。デザインの優れた髪留めが日本にあることを海外にまず発信し、それを逆輸入する形で「かんざし＝和装」のイメージが払拭できると考えたのです。まさにエリアを越えた連携による事業拡大です。海外で認知度が上がれば、インスタグラムなどのＳＮＳで人気に火が付くことも期待できます。

海外販売に当たり、最もハードルになるのは販路、言語および費用の問題です。そこで、同じ特許庁事業でお付き合いのあるAGLOBE株式会社の小粥おさ美社長に支援を求めました。小粥社長はオーストラリアの大学を卒業し、大手自動車メーカー勤務などを経て、海外に3千名を超えるバイヤーを有する海外販路開拓のプロフェッショナルです。小粥社長には、『KANZASHI』に興味を持つ海外バイヤーにアプローチしていただくとともに、２０１８年2月にニューヨークで開催される国際展示会NY NOWへの持参をお願いしました。海外バイヤーとのやりとりや交渉を代行にも協力をいただき、アメリカ・シリコンバレーとニューヨークでの販売が開始されました。

知財戦略の立案

販売の拡大には知財戦略、ブランディングの検討が必要です。海外展開を踏まえた商標権、意匠権の重要性をアドバイスし、静岡県発明協会知財総合支援窓口担当者の宮枝さんのご協力を得て、意匠権を出願（意願2017-006408）しました。ブランディングでは、和のテイストを全面に押し出し、Made in Japan の品質の高さと日本人らしい繊細なデザインの両面を訴求し、また、海外での販売・ブランド化を国内と同時並行で進めました。

町工場から世界へ

山崎製作所は今、国内はもちろん、台湾やイタリアなど海外での展示会へも出展し、順調に販売が拡大しています。また、某キャラクターメーカーのデザインの KANZASHI が発売され、多彩なラインナップを展開しています。さらに海外ブランドとのコラボレーションを仕掛け、誰もが知るブランドKANZASHIとして全世界に浸透させることを目指しています。

山崎社長のコメント

増山事業プロデューサーに海外事業展開の背中を押していただき、本格的に海外販路開拓を進める覚悟が決まりました。現在は、夢に向かって更なる一歩を踏み出しています。今後は台湾、アメリカ、フランス、シンガポール等多くの国の方々に、板金加工技術、かんざしの文化を広めていきたいと考えています。町工場の世界進出に向けて、引き続きご支援の程よろしくお願いいたします。

事例⑤　健康寿命を延ばす！
～調剤薬局が提案するオーダーメイドサプリの事業化

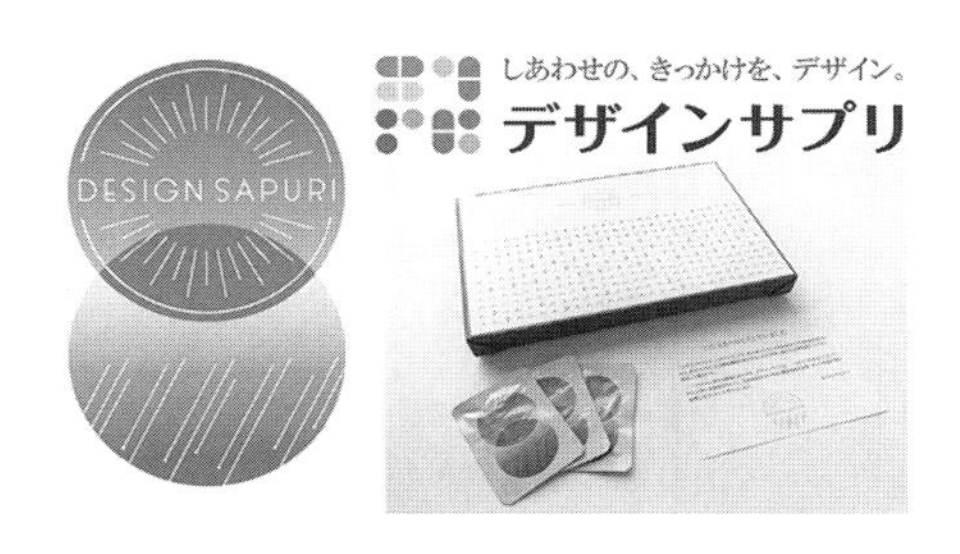

株式会社デザインサプリ（静岡県富士市）

オーダーメードサプリメントの企画、製造、販売
アルゴリズムの構築、販売システムの運用

【創業・設立】2017年３月３日
【従業員数】２名
【代表者名】代表取締役　栗田 佳幸
【事業内容】オーダーメードサプリメントの企画、製造、販売
【本社所在地】静岡県富士市今泉383-５
【連絡先】0545-30-7057

株式会社　ミズ・バラエティー（静岡県富士市）

物流サービス業務全般
化粧品、医薬部外品、医療機器等の製造および物流加工

【創業・設立】1976年７月
【従業員数】253名
【代表者名】代表取締役　栗田 佳幸
【事業内容】ノベルティ品の企画・提案・制作、販促キャンペーンの運営、
　　　　　　物流サービス、化粧品や健康食品のクリーンルーム内製造
【本社所在地】〒417-0001　静岡県富士市今泉383-５
【連絡先】TEL：0545-52-5783 / FAX：0545-55-2666

事業化のポイント

株式会社デザインサプリ（以下「デザインサプリ」）は、物流業の株式会社ミズ・バラエティー（以下「ミズ・バラエティー」）（静岡県富士市）が新規事業として立ち上げたサプリメントの企画、製造、販売を行う会社です。「一人ひとりに最適なサプリメントを提案する」をコンセプトに、事業化に取り組んできました。事業プロデューサーはビジネスモデルの明確化から、薬局業界との引き合わせ、法人設立、経営・知財・販売戦略、システム構築まで事業化全般に携わりました。

この度、ECサイトおよび調剤薬局での販売を開始しました。薬剤師などと共同開発したアルゴリズム診断を基に、顧客ごとに複数のサプリメントを組み合わせて1日分ごとに個包装し、個人もしくは調剤薬局に発送します。これによって、個人はオーダーメードでのサプリメント購入が可能となり、調剤薬局にとっては在庫を持たずに顧客へサプリメントを提供できる道を開きました。

技術シーズ

- デザインサプリは、物流業のミズ・バラエティーが新規事業として立ち上げた（出資はミズ・バラエティー69%、デザインサプリ取締役等31%）。
- ミズ・バラエティーの経営資源（①化粧品、医薬部外品等の小口物流のノウハウ、②健康食品も扱えるクリーンルーム等の設備、③通販事業）を活用し、「物流業×薬局」をヒントに「一人ひとりに最適なサプリメントを提案する」ことを発想して、事業化を構想した。
- 「デザインサプリ®」は、ミズ・バラエティーが商標登録済み（第5824867号）。

事業化における課題

- 事業の基本的な構想はあったものの、その具体化と推進に苦労していた。
- ビジネスモデルの明確化から、薬局業界とのアレンジ、法人設立、経営・知財・販売戦略、システム構築まで事業化全般にわたってプロのアドバイスと推進力を必要としていた。

眠っていた想い

デザインサプリの事業化支援は他の事例とは異なり、増山自身が2010年から3年間経営に関わっていた調剤薬局チェーン時代にさかのぼります。当時、私は調剤薬局チェーンの役員であると同時に、グループ事業である介護施設運営会社社長、ジェネリック医薬品卸会社社長、医療モール運営会社社長を兼務していました。この分野は、少子高齢化の影響を強く受けるため、健康サポート薬局への対応、先発医薬品からジェネリック医薬品への移行、地域包括ケアへの対応などに追われる日々でした。

これらの事業を通じて「高齢者が寝たきりになる前の健康寿命をいかに延ばすか」という問題に直面しました。高齢者が増加する日本で持続可能な社会を維持するために、医者いらずに過ごし、医薬品にできる限り頼らず生活できる年齢を1年でも長く延ばすことが重要となります。そのためにサプリメントの活用は、1つの解決方法だと考えていました。

その頃、ミズ・バラエティー栗田社長とお会いする機会があり、「必要なサプリメントを必要な時、必要な量服用できる仕組みをつくりたい」との考えを伺いました。増山も健康寿命が大切と考え、何種類ものサプリメントを個別に購入する手間の解消が課題だとの想いを持っていたため、大変魅力的なお話と受け止めました。そして、元々サプリメントを扱ってきたミズ・バラエティーの物流機能を使えば、この仕組みは実行可能ではないかとも感じたのです。しかし当時は、事業化支援の立場になかったため、しばらく話が前に進むことはありませんでした。

栗田社長との再会

特許庁事業がスタートした同年10月早々に栗田会長と再会しました。オーダーメードサプリメント事業は、基本的な構想や事業に参画するメンバー選定など具体化に向けて動き出していました。そして、お声かけいただいたこともあって事業化に向けた支援に入りました。創業メンバーと会合を繰り返し、順次、ビジネスモデルの明確化、薬局業界とのアレンジメント、新会社設立、経営陣、ビジネスモデル特許出願、システム構築などを決めていきました。

事業構想の具体化

具体化されたオーダーメードサプリメント事業は、薬剤師などと共同開発したアルゴリズム診断を基に、顧客ごとに複数のサプリメントを組み合わせて１日分ずつ個包装されたものが１カ月分まとめて薬局窓口または顧客へ郵送される仕組みとなっています。

また、今後の事業拡大を見越し、戦略的なブランディングを可能とするため『デザインサプリ』という新会社設立を後押ししました。知財戦略としては、「一人ひとりに最適なサプリメントの組み合わせを提供するためのアルゴリズムの開発」に関するビジネスモデル特許の出願（特願２０１７－２２９２０９）を助言しました。

新たな成長モデルと事業展開

現在は、取り扱いサプリメントや商品タイプを増やし、サービス拡充に努めています。また、中国への越境ＥＣサイトによるサプリメント販売やヘルスケアツーリズムの展開、薬局向け事業ではサプリメントと管理栄養士による健康アドバイスをセットにした商品販売を通じて取り扱い店舗を増やし収益向上を図っています。

栗田社長のコメント

事業プロデューサーのナレッジ提供によって、ミズ・バラエティーの知財戦略における効果の最大化を図り、デザインサプリの全国事業化のアクセルを踏むことができました。

今後はサプリメント事業に加え、本来のヘルスケアの概念に基づき、根本的に健康を促進し、生活習慣を改善させるサービスの提供を考えています。当社は日本のヘルスケアのプラットフォームとなれるような事業開発を進めてまいる所存です。是非多くの方にお力添えをいただけたら幸いです。

コラム

公益財団法人静岡県産業振興財団について

各地域の事業プロデューサーは、それぞれ地域の公的機関に派遣され、本事業に取り組みました。静岡県では産業振興財団が派遣先です。ここでは、第二部に取り上げた多くの事例で協力いただいた同財団の概要について紹介します。

公益財団法人静岡県産業振興財団の概要

産業振興財団は静岡県の外郭団体で、その名の通り各産業の起業や経営革新、経営基盤強化、研究開発時の産学連携等の支援に取り組んでいます。県内の産業界、官公庁、学術界、金融界など各方面に提携している機関があります。（図2-8）

所在地	〒420-0853 静岡県静岡市葵区追手町44番1号 静岡県産業経済会館4階 TEL : 054-273-4430
理事長	中西 勝則
設立年月日	1970年3月17日
目的	この法人は、中小企業等の産業創出の支援及び経営基盤の強化を図り、科学技術の研究開発を促進するとともに、静岡県が進める新産業集積クラスターを推進し、もって静岡県の産業の発展に寄与することを目的とする。
事業	(1) 創業・企業化促進のための支援 (2) 販路開拓の支援 (3) 新分野進出及び新商品開発等の支援 (4) 経営資源確保のための支援 (5) 取引先開拓の支援 (6) デザイン振興のための支援 (7) 経営革新等の支援 (8) 中小商業の活性化のための支援 (9) 資金等の支援 (10)科学技術に関する調査研究及び研究開発の推進 (11)産業人材の育成 (12)科学技術及び産業振興に関する情報の収集、分析及び提供並びに情報化の推進 (13)フーズ・サイエンスヒルズプロジェクトに関する事業 (14)地方公共団体等からの受託による業務の執行 (15)その他この法人の目的を達成するために必要な事業

【図２−８　公益財団法人静岡県産業振興財団の概要】
出所：同財団公式ＨＰより筆者作成

静岡県知的財産活用研究会の概要

本事業の開始と同時期に当たる２０１６年11月には、産業振興財団内に知的財産活用研究会（以下、『知財研究会』）が設立されました。知財研究会の目的は、静岡県、産業振興財団、静岡県発明協会などが連携して、大企業や大学、研究機関の知財等の技術・シーズ活用による中小企業の新規事業創出、技術課題の解決と知財担当者のスキルアップを行うことです。具体的には中小企業、金融機関、支援機関などに対し、マッチング会やセミナー、勉強会の開催、各種の情報提供を行っています。特許庁の事業化支援は、主にこの知財研究会を通じて実施しました（図2-9）。知財研究会の

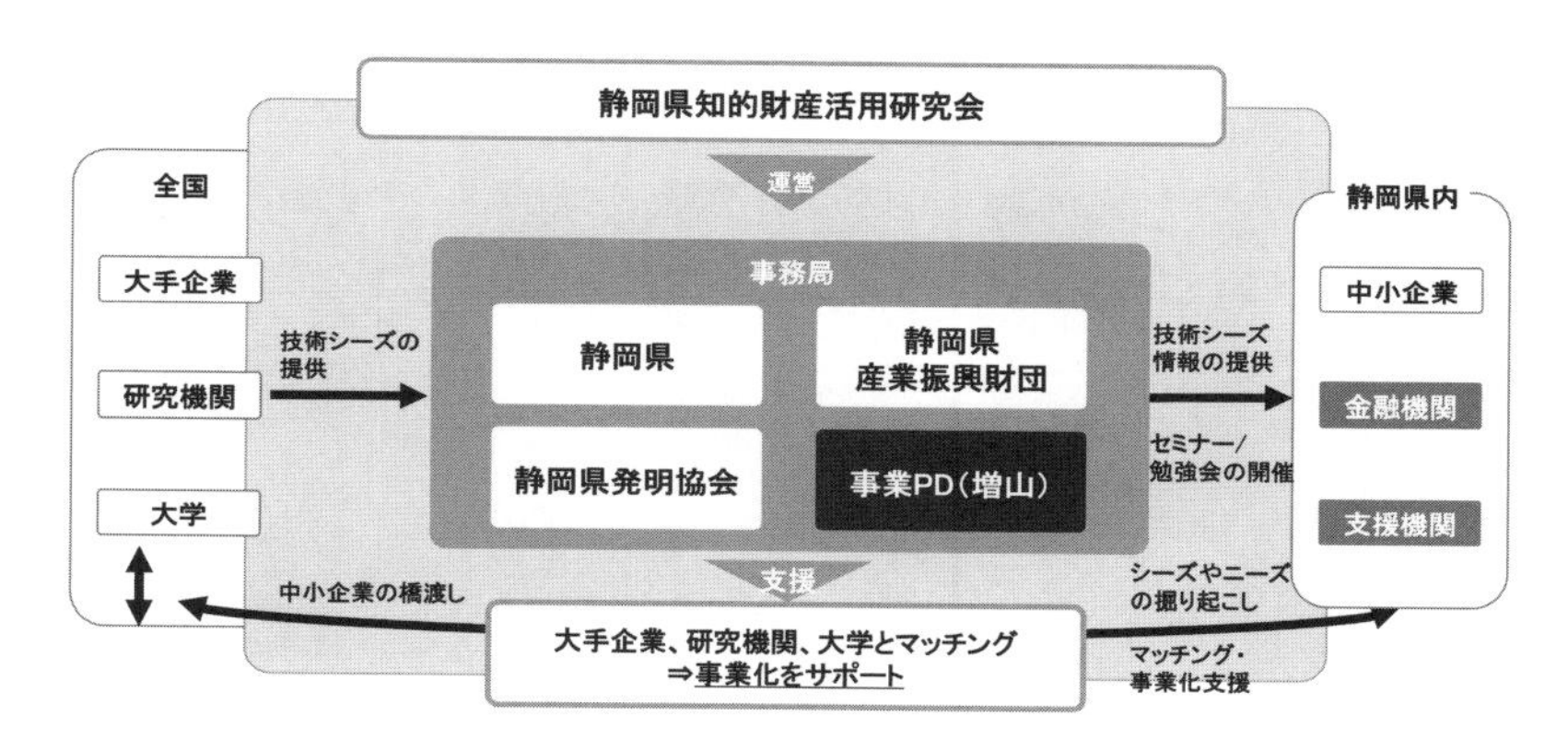

【図2-9　静岡県知的財産活用研究会の概要（当時）】
出所：特許庁「地方創生のための事業プロデューサー派遣事業（平成28～30年度）」事業関連資料より筆者作成

登録企業は、産業振興財団と提携している支援機関などの協力を得ながら新たな事業化を推進することができます。

販売戦略サポート委員会の概要

静岡県は「マーケットインの考え方に基づく製品づくり」「マーケットニーズを踏まえた販売開拓・拡大」に取り組む地域産業を支援するため、２０１８年5月販売戦略支援ワンストップ相談窓口「売れる物づくりサポートセンター」を設置しました。事務局は産業振興財団となっています。

そして、同年5月からは販売戦略サポート委員会（以下、『販売戦略委員会』）が始まりました。静岡県が主催する「オープン

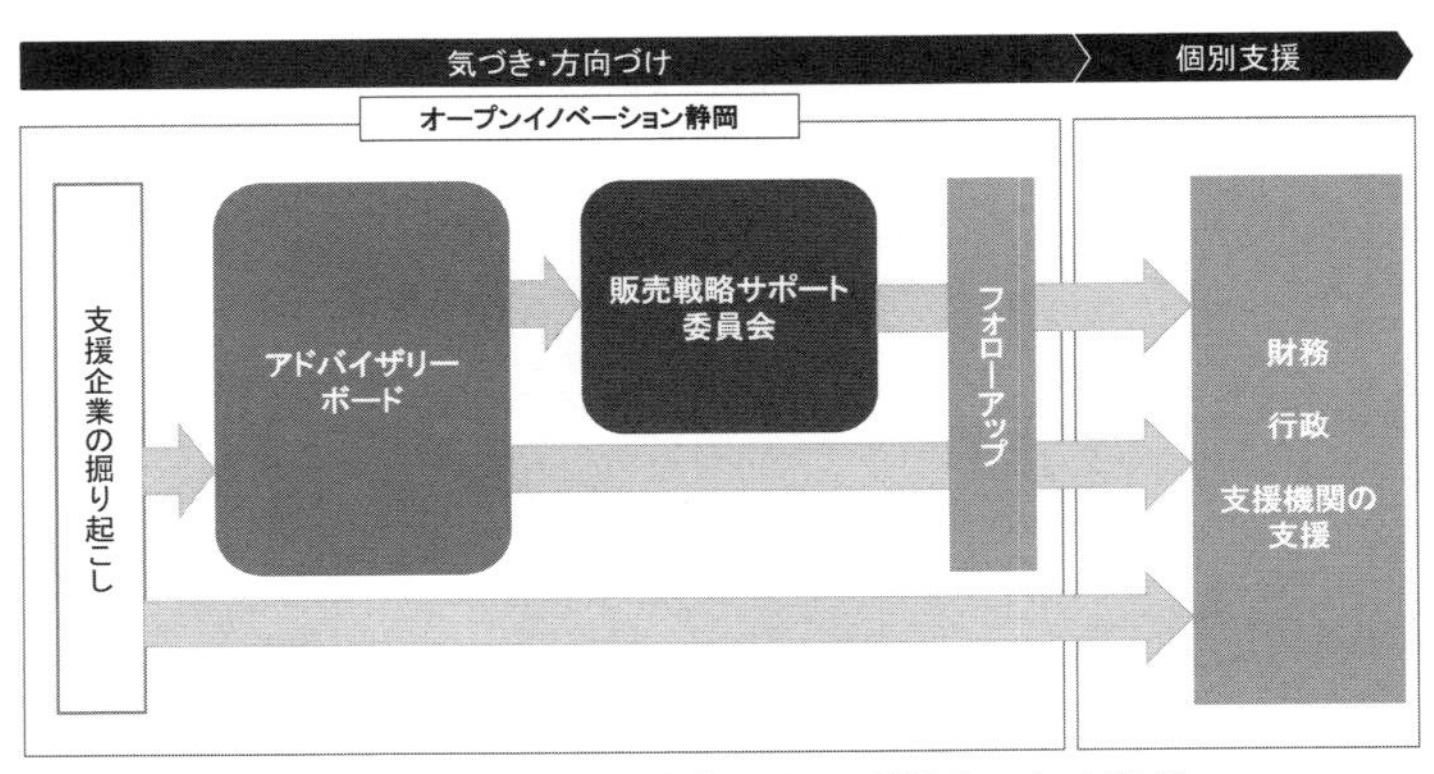

【図２-10　静岡県販売戦略サポート委員会の立て付け】
出所：特許庁「地方創生のための事業プロデューサー派遣事業（平成28～30年度）」事業関連資料より筆者作成

イノベーション静岡」[9]の対象企業や産業振興財団の支援先企業に対して、販売戦略などのフォローアップを行う目的で設置されました。中小・ベンチャー企業の支援には様々な切り口が必要です。委員会では、マーケティング、技術、ＩＴ、Ｗｅｂや製品デザインなど約20名の専門家から企業ニーズに応じた専門家が委員に選ばれてアドバイスします。その後、産業振興財団の担当者がフォローアップを行い、企業規模や業種を問わず、発展拡大へ向けた環境を整えます。(図２-10)

産業振興財団のサポート体制

産業振興財団の販売戦略サポート体制は、知財研究会に関して革新支援グループ革新企業支援チーム、販売戦略サポート委員会に関しては取引支援・診断設備グループ取引支援チームが担当窓口になっています。革新企業支援チームが知財研究会を運営するとともに、登録企業に対して事業プロデューサーが事業化支援を行います。また取引支援チームは、販売戦略サポート委員会を運営するとともに、アドバイス後の企業のフォローアップを行います。事業プロデューサーは、企業にアドバイスする委員の1人として参加します。

企業訪問、地域の支援機関や金融機関との連携など、両チームメンバーと一緒に行動しながら県内企業支援を積極的に推進しています。

地域支援機関とのスムーズな連携

静岡県内では産業振興財団と地域支援機関との連携がスムーズに行われており、連携に

9　オープンイノベーション静岡とは：静岡県の産業を回復軌道に乗せ、持続的な産業発展につなげるため、2015年4月に組成されました。最大の特徴は、静岡県の有力企業や産業支援機関の代表者など7人で構成されるアドバイザリー・ボードの設置にあります。支援企業に対して経営者の視点から各社の事業に対するアドバイスを実施しています。この会議を契機に海外展開の端緒を得た企業なども現れています。

よる事業化事例が数々生まれています。特に特許に関する戦略や事業化に当たっては、知的財産面で静岡県発明協会・知財総合窓口のアドバイスを受けて実際に特許や商標などの出願に至っています。また、静岡県工業技術研究所や県内金融機関の紹介を受けた企業訪問も頻繁に行っています。

地域支援機関とのスムーズな連携は、本事業が静岡県で成功している大きなポイントとなりました。

事例⑥　世界に通用するフルーツソースを作る！
～素材を活かした無添加・濃縮フルーツソースの事業化

マコジャパン株式会社（静岡県静岡市清水区）

コア技術である「常温常圧濃縮」を駆使した無添加・濃縮フルーツソースを製造
素材本来の味・色・香りを最大限に引き出し、濃縮したフルーツソースが人気

【創業・設立】2014年９月２日
【従業員数】５名
【代表者名】代表取締役社長　小鍋　彰久
【事業内容】無添加濃縮フルーツソース、
無添加マーマレード・ジャムの製造・販売
【本社所在地】〒424-0911　静岡市清水区宮加三727−1
【連絡先】TEL：054-376-5214 / FAX：054-376-5213

事業化のポイント

株式会社マコジャパン（以下「マコジャパン」）は地域特産の農産物を原料に、独自の乾燥装置（特許）を利用した「常温常圧濃縮」により無添加・濃縮フルーツソースを製造しています。かねてより事業プロデューサーが販売戦略の策定と販路開拓支援を続けてきました。本事業では、東京都・自由が丘にある世界のトップパティシエ 辻口博啓氏のパティスリー「モンサンクレール」において無添加・濃縮フルーツソースの採用が決定しました。

技術シーズ

- ヒートポンプを応用した新しい乾燥原理による乾燥装置（マコジャパン兄弟会社の株式会社グリーンセイジュ＝代表小鍋彰久氏が特許を保有＝特許第3696224号）を活用し、風を当てて20℃程度の常温で乾燥させる「常温常圧濃縮」を実現した。
- 従来の乾燥装置では熱で酵素が破壊されるが、本装置では加える熱量を最小限に抑えることで、素材本来の味・色・香りを最大限引き出したフルーツソースの製造に成功した。

事業化における課題

- 少人数で運営しており、製造できるフルーツソースの量が少量にならざるを得ない。
- 営業力に限りがあるため、他のフルーツソースとの違いを訴求する戦略や機会をつくり切れず、販売に苦戦していた。

抜群の技術と味

マコジャパンの事業化支援は、産業振興財団と地元金融機関からの紹介でスタートしました。依頼内容は「20℃程度の常温で乾燥させる『常温常圧濃縮』という特許技術を持つ会社が静岡市内にある。産業振興財団も以前から支援していて技術は素晴らしい。その技術で製造するフルーツソースは抜群においしいが、まだ販路やブランディングが明確になっていない。支援をお願いできないか」というものでした。

事業内容を確認したところ、特許はグループ会社のグリーンセイジュの保有でした。小鍋彰久社長にお会いしてマコジャパンとグリーンセイジュの関係についてお聞きすると同時に、フルーツソースやマーマレードのおいしさを実体験してみたいと思いました。

最上のフルーツソースストーリー

小鍋社長との面会は、２０１７年6月中旬です。産業振興財団の石山主幹、地元金融機関担当者も同席しました。

小鍋社長から、特許技術、濃縮フルーツソースの製造・販売経緯、業況、今後の事業展開について詳しく伺いました。小鍋社長の技術者らしい話しぶり、印象は今も当初から変わっていません。口調は滑らかとは言えませんが、しっかりとした技術の裏付けとこだわりが伝わってきます。濃縮フルーツソース製造へのこだわりもよく分かりました。

特に興味深かったのは、フルーツソースの販売に至るまでのストーリーです。１９９０年グリーンセイジュという会社を立ち上げ、乾燥装置を開発し「常温常圧濃縮」の特許を取得しました。約20度の常温で乾燥を可能にする技術です。当初、乾燥装置自体の販売を目指したものの、思うように装置は売れませんでした。なかなか売れない中で、たまたま営業先から「常温乾燥の技術を食品に応用するのはどうか」といった声をもらいました。そこで、マーマレードの試作を行ってみたところ、非常に香り高いマーマレードが出来上がったのです。特別な素材は使用していません。常温乾燥が香りや濃度の高いペースト状の食品を作ることができることに気付いた瞬間でした。そこで現在のマコジャパンを設立し、食品加工用の設備を整え、自らフルーツソースの製造・販売を始めたそうです。

これは度々感じることですが、売れる商品には必ずと言っていいほどストーリーがあります。マコジャパンのフルーツソース商品化も同様でした。そして、さらに先の過程にも、面白いストーリーが待っていたのです。

無添加濃縮フルーツソースを試食させていただいた時の衝撃は、今でも忘れることができません。過去に食べたことがないおいしさでした。ショッピングセンターの店舗開設など物販絡みのビジネスに関わった経験から、店舗や農家でフルーツソースを幾度となく食す機会がありましたが、マコジャパンの商品の旨味は桁違いでした。

世界的シェフからのお墨付きを獲得

同社の販売戦略の立案は比較的シンプルに出発しました。基本は「最初にフルーツソースを食した時の衝撃的な味を売り上げにどう結び付けるか」。思いついたのは、世界的に有名なパティシエ辻口博啓シェフに評価してもらうことです。衝撃的な味が本物として通用するか、一流シェフのお墨付きを得たかったのです。

辻口シェフは、クープ・デュ・モンド・ドゥ・ラ・パティスリーなどの洋菓子の世界大会に日本代表で出場し、数々の優勝経験を持つパティシエ、ショコラティエです。現在はオーナーパティシエ・ショコラティエとして、モンサンクレール（東京都・自由が丘）をはじめ、コンセプトの異なる10を超えるブランドを展開しています。

辻口シェフとは、別の事業でご一緒させていただき、以来お付き合いがありました。連絡し趣旨を伝えたところ、快諾してくださいました。早速、自由が丘の事務所へ伺い、事の経緯をお話し、小鍋社長から預かったフルーツソース数種類を食していただきました。その時の辻口シェフの反応と言葉は今も忘れることができません。

「こんなおいしいフルーツソースが静岡にあるのか」

その後、金沢に来てみないかと声を掛けていただき、辻口シェフが校長を務める専門学校を訪れました。驚いたのは、テレビで度々拝見する和食、中華、フレンチ、イタリアンの名だたるシェフたち（名前は控えますが）が勢ぞろいしていたことでした。辻口シェフは、自らフルーツソースをカップに取り分け、各シェフに味見を促しました。すると、有名シェフたちも口々に「おいしい」――。マコジャパンのフルーツソースが、プロに認められた瞬間でした。

プロに認められたことで販売方針をカスタマー向けではなく、プロ向けにしてはどうかと考えたのです。カスタマー向けの販売では大量に売り上げたとしても、ブランド価値が早期に陳腐化するリスクも生じます。マコジャパンは元々、小ロットで無添加・濃縮フルーツソースを製造していたこともあり、プロ向けに特化した方が本物の味を追求していけるのではないかと判断しました。小鍋社長も同様のお考えで、プロに意見を聞きながらより良いフルーツソース作りを目指すことを決意されました。

【図2-11　試食会の様子】

高級店を魅了するメーカーへ

マコジャパンのフルーツソースは、シェフ向けに順調に採用が広がり、製造すればすぐに売り切れてしまう状態が続いています。熱海、箱根周辺にあるホテルの名だたる総料理長の評価も高く、名古屋のホテルを監修する有名イタリアンシェフの料理にも使用されるなど、全国へ展開しています。

さらに新たな取り組みも始まり、現在はチャイソースの開発や、磐田市の大手企業とコラボレーションし野菜ソースも試作しています。スマートアグリで生産された様々な野菜のソース作りについても検討しています。
海外展開も射程に置き、世界のマコジャパンフルーツソースを目指しています。

小鍋社長のコメント

増山事業プロデューサー、この度は技術的優位性を最大限に評価していただけるトッププロの方々をご紹介くださりありがとうございました。さらにエッジの効いた商品を開発する予定ですので、引き続きご支援いただければ幸いです。

辻口シェフのコメント

それぞれのフルーツが持つ素材本来の酸味・甘味・苦味などの特徴がそのまま生かされています。際立つ香りがフレッシュさを感じさせてくれる今までにないフルーツソースです。

事例⑦　腎疾患患者でも食べられるメロンをつくりたい！
～カリウム濃度を半減したドクターメロン®の事業化

Happy Quality
温個創新

Medi-Chef

株式会社Happy Quality（静岡県浜松市南区）

次世代型農業の企画・コンサルティング
関連会社の認定生産法人サンファーム中山と連携し、中玉トマト「Happyトマちゃん」、低カリウムメロン「ドクターメロン®」の栽培・販売を行う

【創業・設立】2014年２月
【従業員数】５名
【代表者名】代表取締役　宮地　誠
【事業内容】トマト、低カリウムメロンの製造・販売
【本社所在地】〒435-0028　静岡県浜松市南区飯田町1567-1
【連絡先】050-3744-1499 / FAX：053-533-3972

事業化のポイント

株式会社Happy Quality（以下「Happy Quality」）は、従来品と比較してカリウム濃度を半減したメロン「ドクターメロン®」を開発しました。地元の金融機関より支援依頼を受けた静岡県産業振興財団経由でスタートし、事業プロデューサーが、新商品のブランディングと販路開拓支援を行ってきました。静岡市清水区の竹屋旅館などが設立した日本医食促進協会と引き合わせた結果、同協会認定のメディシェフの認定商品第一号となりました。加えて、販売支援により竹屋旅館が経営するホテルクエスト清水をはじめ、熱海の高級ホテル、大手リゾートチェーンへの採用が決まりました。

技術シーズ

- 少量培地による農産品の溶液栽培によって含有成分をコントロールする技術を確立した（営業上の秘匿として特許出願はせず）。
- この技術を用いて、カリウム濃度を半分に抑え、食事制限が必要な腎臓病の方々にとっても食べやすいドクターメロンを開発した。通常のメロンよりえぐみが少ないことも特徴。
- メロンに特化していた技術を別の農作物にも応用が可能。

事業化における課題

- 腎臓病の方々やそのご家族に届けるために、まずドクターメロンの低カリウムという特徴を多くの人に知ってもらう必要があったが、知名度を上げるための方策を見いだせずにいた。

高齢化社会のニーズにぴったりなメロン

Happy Qualityの事業化支援は、地元金融機関から静岡県産業振興財団を経由した紹介が端緒となりました。2017年5月、宮地社長と最初の面談は金融機関の会議室でした。事業を立ち上げた経緯、売り上げ状況、今後の展開など、こちらからお聞きするケースが多いのですが、宮地社長は質問せずとも事業の詳細について、時間も忘れるほど熱心に語ってくれました。

依頼は「腎臓病の方でも食べることができる低カリウムの『ドクターメロン®』を開発したので、その販路を拡大したい」という内容でした。カリウム濃度は通常の半分。食事制限が必要な腎臓病の方々にとっても食べやすく、えぐみが少ないメロンは、高齢化社会のニーズにぴったりだと直感しました。

認知度向上とクラウドファンディング

Happy Qualityがメロンハウスをおく袋井にはクラウンメロンというブランドメロンがあります。その点では袋井で生産されたメロンというだけでも既に1つのブランドと言えます。しかしドクターメロンの特徴は、単においしさだけでなく『健康』がキーワードとなります。従って、食事制限が必要な腎臓病の方々にとっても食べやすいメロンであるとのブランディングの進め方がポイントでした。

取り組んだのは3つのプロジェクトでした。1つ目は健康事業を推進するメディシェフとのコラボレーション。2つ目は、ホテルイベントや料理学校への出展により有名シェフへの認知度を高め、同時に一般消費者への健康メロンとしての認知度向上。3つ目は、クラウドファンディングによる資金調達と健康メロンとしての認知度向上です。

1つ目の取り組みのコラボレーション先であるメディシェフとは、日本医食促進協会が促進する「医食の専門家」の資格です。医療・栄養・調理に関する知識を一気通貫で学び、健康・予防・疾患に適した食を提供できる人材として育成された方々です。このメディシェフの認定商品[10]第一号にドクターメロンを選定していただきました。この結果、今では健康・予防・疾患に適した食材として全国各地に広く提供されています。

2つ目のホテルイベントや料理学校への出展については前述のマコジャパンのフルーツソース同様、世界的なパティシエ辻口博啓シェフに評価してもらおうと、ドクターメロンも食していただきました。金沢市でも和食、中華、フレンチ、イタリアンの名だたるシェフに実食してもらい各々評価をいただきました。その後、熱海の有名ホテルのウェルカムスイーツに採用されています。

3つ目のクラウドファンディングでは、資金調達より認知度向上の側面を重視しました。目標金額は100万円と少額に設定して成約の方を優先しました。同時にドクターメロンのシャーベットを開発し、同じくクラウドファンディングで募集を行いました。

農業法人の新しいモデル創出に邁進中

ドクターメロンは大手リゾートホテルチェーンへの採用を皮切りに、順調に全国に販路を広げています。また「売れるものを作る」というマーケットインの視点に立って、メロンだけではなくトマトなど農産物の生産を続け、加えて次世代の農家の担い手の研修所として人材育成にも取り組んでいます。

現在、Happy Quality は農業事業を軸に、農産物の糖や酸などの成分を非破壊で正確に

10　メディシェフ認定食品…機能性とおいしさを兼ね備えQOL（クオリティーオブライフ）の向上に寄与すると認められた食品をメディシェフが認定し、広く社会に認知して頂くためにメディシェフがPRなどの協力を行っていくもの。（出所：メディシェフ公式HPより）

測定する新センサーの開発等も進めています。センサー開発事業については多くの企業が注目しています。当初１００万円のクラウドファンディングから始まった企業は、現在20億円規模とまで言われる企業に成長しています。

宮地社長のコメント

今回、地元金融機関を通じてこのような機会をいただき、ありがとうございました。新商品開発には苦労や困難、失敗も多々ありましたが、生産者のサンファーム中山と連携し「ドクターメロン®」の販売までこぎ着けました。食事制限を強いられている方々が1人でも多く一家団らんにドクターメロンを召し上がっていただけるように販売を広げていきたいと思います。

私は日本の農業は大きな可能性を秘めた産業だと捉えています。そのため、当社はマーケットの課題を解決する技術を開発し成長していきたいと考えています。そして、当社の成功モデルを全国展開し、日本の農業を成長産業に変えることをビジョンに掲げ、これからの事業展開に臨んでいく所存です。是非、応援の程お願い申し上げます！

事例⑧　世界中のバイヤーをつなげ！
～日本企業と世界の橋渡し『ウェブエキスポ』の事業化

AGLOBE株式会社（静岡県浜松市中区）

海外販路よろず相談所
中小企業の海外販路サポート

【創業・設立】2013年１月
【従業員数】６名
【代表者名】代表取締役　小粥おさ美
【事業内容】海外販路開拓支援
【本社所在地】〒430-0926　浜松市中区砂山町1091-７Ｆ
【連絡先】TEL：053-523-8904 / FAX：053-489-8220

事業化のポイント

AGLOBE株式会社（以下「AGLOBE」）は、企業の海外への販路拡大をサポートしています。世界各国で３千名を超える現地専門バイヤーとのつながりを持ち、その強力なコネクションを活かして、最適なバイヤーの選定から契約条件の交渉、販売戦略の企画立案から実行支援までトータルにカバーしています。今回、事業プロデューサーの支援により、言語障壁や海外経験が浅いといった課題を抱える中小企業が、気軽に海外への販路拡大を行うためのサービスとして、Web上で世界中の専門バイヤーとビジネスマッチングができる仕組み『ウェブエキスポ』の運用を開始しました。

技術シーズ

- 「最小限のコストで最大限の海外販路を獲得」するために、製品予算や会社規模に合わせ、販売戦略から実行までのサービスをワンストップで提供。
- 企業が海外販路の開拓をする上で共通課題である「パートナー探し」「言葉の壁」、これにかかる「人的コスト」を低減して、より広範に提供するために『ウェブエキスポ』の制作を実施した。
- 世界各国に多数の現地専門バイヤーとのリレーションを持っている。

事業化における課題

- 『ウェブエキスポ』の開発がシステムベンダーの人員・資質不足により大幅に遅れた。
- 『ウェブエキスポ』への登録企業数を増加させたいが、営業に割ける人員に限界があった。
- 知財で『ウェブエキスポ』のアイデアを守りたいと考えていたものの、商標出願等の手続きの詳細が分からず二の足を踏んでいた。

世界の3千名のバイヤーとつながる社長との出会い

AGLOBEへの事業化支援は、2017年5月末、支援先の講演会で小粥おさ美社長にお会いしたことがご縁となりスタートしました。初対面ではお互いに講師だったため、その場ではゆっくりお話しできなかったのですが、社長のキャリアや世界に3千名近いバイヤーとコネクションがあるといった話に非常に興味が湧き、もう少し話を聞きたくなりました。そこで後日改めて時間をとっていただき、浜松本社へ打ち合わせに上がりました。

属人性の高いビジネスを仕組み化

AGLOBEの課題は明確でした。アメリカ、オーストラリア、東南アジアを中心に世界に3千名を超えるバイヤーを抱え、ダイレクトに海外販売ルートを安価に開拓できることが同社の特長です。しかし、このバイヤーとのルートは小粥社長個人のキャリアに紐づくもので、システマティックに展開できる仕組みがなかったのです。そこでウェブエキスポ(Webexpoo「web+expo」、ウェブ上の展示会の造語)を立ち上げ、メーカーとバイヤーをウェブ上で直接つなぐ仕組み作りを進めました。同社の事業に関与した当時、このウェブシステムの開発はシステムベンダーの人員、資質不足で大幅に遅れていました。そのため、事業プロデューサーとして、同社とシステムベンダーの間に立って話し合いをまず持ちました。これにより、足踏みしていた開発が再び動き出し、それから数カ月でウェブエキスポをリリースすることができたのです。

次に手掛けたのは、ウェブエキスポへの掲載企業の獲得です。日本の中小・ベンチャー企業が成長する道は2点あると考えます。1つは海外販路開拓により自らの製品市場を拡大すること。さらに、大手企業の系列の場合にはインバウンドで日本に来る観光客をビジネスに取り込むことも挙げられるでしょう。

海外販路開拓を実施する上で乗り越えるべきポイントがありました。英語での交渉や契約書のやりとりです。国内の99・7％を占める中小企業やベンチャー企業が海外販路を求める際、これは高いハードルとなります。AGLOBEの存在価値は、このハードルをなくすことに外なりません。その力を発揮する対象となった県内企業の1社がKANZASHIを展開する板金屋、山崎製作所でした。髪留めであるかんざしは、国内では和装のイメージですが、海外では挿して髪を留めることは当たり前。そこでAGLOBEのビジネスが海外販路開拓に役立つことになりました。

また、川根本町で茶箱の製造・販売を行っている前田工房もその1社でした。茶箱はその名の通りお茶を保管する箱ですが、近年お茶の保管方法の変化により需要は激減しています。茶箱の特長はその丈夫さだけでなく湿気に強いことです。それは貴重な書物や着物の保管に適しています。ただ単なる保管箱だと、自宅に置いてもおしゃれではないため、レザーや布で装飾を施したインテリア茶箱を製造し、新たなマーケットを開拓しています。

中小企業と海外の橋渡し役として

現在AGLOBEは、東海地区を中心に５００社ほどの支援企業を持つまでに成長しています。バイヤーと企業をつなげるだけではなく、契約からその後の販路開拓に関するサポート支援、世界各地の展示会出展、開催支援など、日本の中小企業が海外に打って出る際のサービス内容の充実も進めています。

今後は、AGLOBEの事業を日本全国の各地域に展開することを目標とし、海外人材の雇用支援サービスの展開も予定しています。海外展開支援サービスの一層の充実を図っていくための取り組みも図っています。

小粥社長のコメント

増山事業プロデューサーの支援により、ビジネスモデルを個人技からシステムへと転換することができました。これによって広く顧客を獲得でき、また事業オペレーションの質も高めることが可能となりました。

AGLOBE株式会社は、中小企業の海外への販路拡大をサポートしています。世界各国に3千人以上の現地専門バイヤーとパイプを持つことで、戦略作りから実行まで伴走的サポートが可能となっています。「go to create exciting わくわくを世界へ」を胸に、わくわくを国境なく世界へ届けられる企業として、これからも地域活性化に向き合い、成長していきたいと考えております。

事例⑨　食べても見ても楽しんでほしい！
～Webとつながるアニメケーキの事業化

株式会社つかさ製菓（静岡県 浜松市南区）

和菓子・洋菓子の製造・販売を行う。
実店舗に加えてEC販売にも注力、和菓子の『つかさ製菓』、アニメを描いた『あにしゅが』など多数の自社ブランドを展開している。

【創業・設立】2010年12月設立
【従業員数】２人
【代表者名】代表取締役　和田浩司
【事業内容】菓子製造
【本社所在地】〒435-0045　静岡県浜松市南区法枝町615-１
【連絡先】TEL：053-545-4582 / FAX：053-545-4583

事業化のポイント

株式会社つかさ製菓（以下「つかさ製菓」）は、アニメキャラクターデザインの公式ライセンスを受けたデコレーションケーキを製造・販売しています。事業プロデューサーの提案で、開放特許の事業化に積極的な大手企業との連携を実現。大手企業が持つ特許技術をデザインに埋め込み、アニメキャラクターをスマートフォンの専用アプリで読み取ることでWebコンテンツにアクセスできる全く新しいデコレーションケーキの開発に成功し、自社サイトでの販売を開始しました。

技術シーズ

- 試行錯誤の末に、ケーキを冷凍・解凍してもデザインが崩れない製造方法を編み出した。
- 各アニメ制作会社と公式ライセンス契約を締結、アニメキャラクターを印刷したデコレーションケーキを製造・販売。
- ケーキブランド『あにしゅが』を立ち上げ、アニメイベント等への参加を通じてアニメファン層への認知度を高めてきた。

事業化における課題

- 解凍の際に出る水分でデザインが滲んでしまうのを防ぐ製造方法を考案したものの、当時は知財による製品保護の意識が薄く、商標も製造方法も権利化していなかった。
- 食品表示法の表示義務により材料成分を表示せざるを得ず、競合他社の参入を招いてしまった経験を教訓として、知財戦略の立案と、差別化できる新たな商品の開発を模索していた。

エンターテイナーな社長と菓子

つかさ製菓との出会いは、知財活用研究会を通じて地元金融機関からの依頼を受け訪問したことがきっかけです。初めて和田浩司社長にお会いした時、人を楽しませることがお好きな方だと感じました。「子供の頃からクラスメートを笑わせることが好き。アニメも菓子もそれらを通して人を笑顔にすることができる。その笑顔が楽しみだから、アニメも菓子製造も好きなんだ」とおっしゃっていました。

戦略の立案

同社を紹介いただいた支援機関からは、高いレベルの技術を知財として活用できないかといった話を受けていました。また、和田社長からは、今後はアニメで様々な事業を展開したいというお考えをヒアリングで伺っていました。そこで、社長の想いを背景として同社が持つデコレーションケーキの製造技術をブランド化した『あにしゅが』を、ブランドとして確立・防御する必要性を感じ、まずはブランドを守るべく商標出願を助言しました。

また、新商品開発については知財戦略の強化も兼ねて、大手企業の開放特許を活用した新商品開発を提案し、開放特許の事業化に積極的な大手企業とお引き合わせしました。結果、デコレーションのデザインを損なうことなく、アニメキャラクターをスマートフォンの専用アプリで読み取り、Ｗｅｂコンテンツにアクセスできるデコレーションケーキの開発に成功しました。アプリは、大手企業から紹介されたアプリ開発の株式会社ケーシーエス（茨城県水戸市）から提供を受け、主な2つのＯＳに対応することでより広いターゲットに訴求することが可能になりました。２０１９年2月から自社サイトでの販売も開始しています。

アニメでケーキから映画まで

将来的に新たなキャラクターとのコラボレーションとともに、取り扱うケーキの種類の拡大を検討しています。

また、和田社長はアニメ映画にも着目し、東日本大震災・復興プロジェクト「東北三部作」の最終章として２０１９年6月21日に全国公開された映画「薄暮（はくぼ）」の制作を手掛けました。資金はクラウドファンディングにより調達したそうです。今後、アニメケーキの販売に加えて、映画の海外上映を視野に事業展開を考えています。

和田社長コメント

昔からアニメが好きで、日本のアニメーションで人を喜ばせいたいといった想いを持っていました。今回、増山事業プロデューサーと出会いをきっかけに、営んできた菓子製造とアニメをコラボレーションできたことで、想いを形にする手応えを体感しました。

この成功体験を活かし、アニメーション映画の海外上映を模索中です。日本のアニメーション、日本文化の世界発信を実現するため、積極的に取り組んでいきたいと考えています。

4 永続性のある成長支援実行についての事例から

ここでは、個別事例から離れ、第4の視点である「永続性のある成長支援実行」に向けて、後継の事業プロデューサー育成に取り組んでいる様子を紹介します。

人材育成方針とエッセンスの伝授

地域で新規事業創出のサイクルが持続的に発展するには、サイクルを動かす人材がカギとなります。また、本事業終了後も新規事業の創出が地域で続いていく環境を創らなくてはなりません。そして、そのサイクルを動かし、環境を創る人材として、もちろん事業プロデューサー1人では足りません。そのため、1人でも多くの事業プロデューサーとなり得る人材を育成するために、本事業を通して事業プロデューサーの後継となる人たちを3つの階層に分け、各機関の人材に事業プロデュースのエッセンスを伝授してきました。（図2－12）

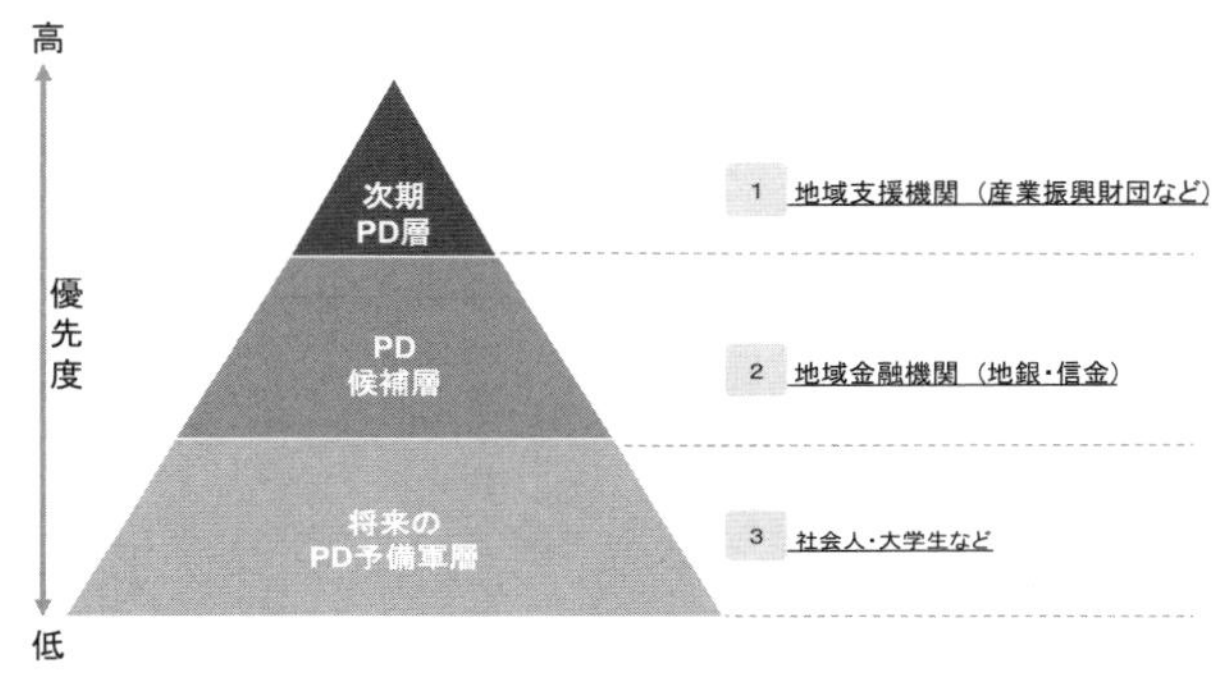

【図2-12　事業プロデューサー後継者育成のための3つのカテゴリー】

まず、次期プロデューサー層、ミニ事業プロデューサーともいえる将来のプロデューサー候補層と見込まれる静岡県産業振興財団や地元金融機関の方々には、企業への訪問活動に何度も同行していただきました。活動現場を実際に見てもらい、ビジネスを創るまでのイメージを持っていくためのOJTです。中小企業のビジネスを単に評価する、事務的に支援機関等につなげるだけでなく、最終的に各自が企業のスケールアップを促すよう発想を培ってほしかったからです。

また、金融機関に対しては現場の行員だけではなく、支店長会議などにも足を運び、支店長層にも本事業のコンセプトを説明するよう努めました。

融資先企業の成長を促すことは銀行として当然の使命であり、長期的にリターンにもつながります。地元企業との密接な関係を強みとしていくためにも、融資先企業の成長を促す力を鍛えることは重要です。

学生への実践に基づくノウハウ提供

将来の事業プロデューサー予備群である大学生に対しては、事業プロデューサー事業の成功事例やその他ビジネス創出に関する話題をテーマに講義を行いました。（図2-13）

地方創生における人材育成には、地域を担う人材が活躍するための具体的な「場」「ノウハウ」が必要であり、最新の取り組みを学ぶことも求められます。一方で、地方創生の現場を踏んだ人がノウハウを伝授する機会はまだまだ少ないのが実情です。こうした学びの場はできればもっと増やしたいものです。

【図 2-13　大学での講義模様】

もちろん1年や2年の短期間で結果が出るものではありませんが、地域にしごとを創ることと同様に人材育成は欠かせない論点です。今後も引き続き、後継者、ミニ事業プロデューサーの育成に取り組んでいきたいと考えています。（増山）

コラム

埼玉県、北九州市での取り組み

特許庁委託事業『地方創生のための事業プロデューサー派遣事業』では、静岡県に加え埼玉県、北九州市の計3拠点に事業プロデューサーが派遣されました。各地域が保有する技術力や知的財産、様々なネットワークを活用しながら、地域の事業創出環境構築に取り組み成果を挙げています。埼玉県と北九州市での事例を紹介します。

埼玉県：産学官金による「信金モデル」を通じた知財活用支援

埼玉県では、鈴木康之元埼玉県産業技術総合センター副センター長が事業プロデューサーに就任し、埼玉縣信用金庫を母体に設立された「一般社団法人さいしんコラボ産学官」に派遣されました。ここでの事業プロデューサー活動は、金融機関と連携した「信金モデ

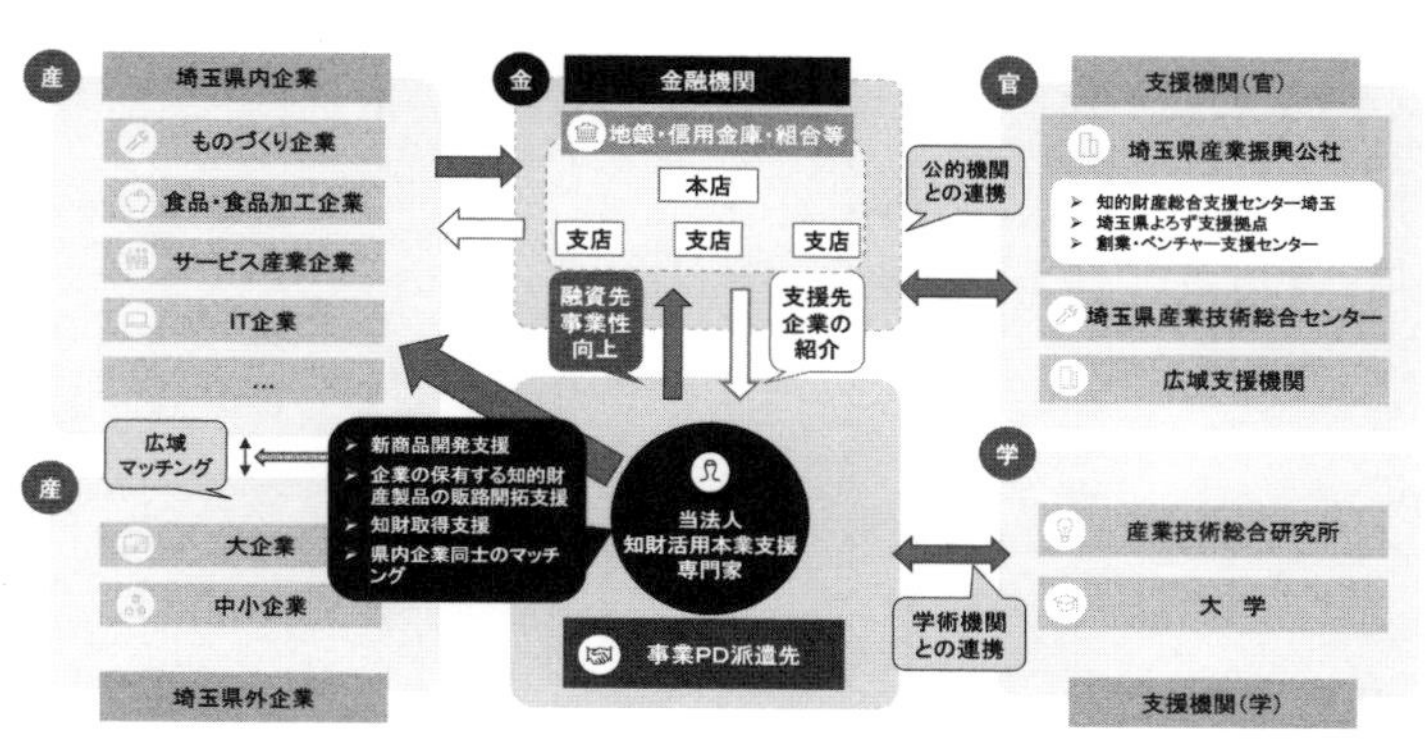

【図2-14　信金モデルイメージ図（本事業における体制）】

ル」がポイントです。（図2-14）

従来は、中小企業が単独で官・学の支援を受けようとする場合、どこに相談すべきか企業自身が考えて探す必要があり、それがハードルとなって相談を途中で断念してしまう例が多々ありました。

この課題解決に向けて、信用金庫がまず企業やその課題を事業プロデューサーにつなぎました。経営課題に合致した支援メニューの選択や提案、連携の構築を事業プロデューサーが間に立って行い、効果的かつ早期に成果を上げる方策を提供したのです。

信用金庫は地域の中小企業と普段から対話し、深い関係を築いていることが強みです。事業状況から経営者の背景情報に至るまでさまざまな情報をきめ細かく把握しており、各企業の経営課題に対応した支援メニューを探りながら、関係者を連携させていくよう調整に当たることができます。

中小企業を支援する機関はそれぞれ専門性が高く、機能が細分化されている面がありま す。しかし、地域に深く根を張る信用金庫と事業プロデューサーが各機関と中小企業のハブになることで、新たな地域ビジネスの創出、中小企業の成長を促進できます。

特許庁事業を契機に、この信金モデルを他地域にも展開し、多くの支店職員や支店長にも参加していただき成功事例をさらに創り出せるよう取り組んでいきたいと思います。(片桐)

埼玉派遣　事業プロデューサーの紹介

鈴木　康之（すずき　やすゆき）

【実績・知見】

企画部門を中心とした行政経験、事業運営実績を豊富に有する。

産業技術総合センター元副所長、創業・ベンチャー支援センター元所長。組織改革、新規事業の立ち上げ事業の強化に取り組む。

中小企業が開放特許を活用して新商品を開発し、自治体等支援機関が事業化をサポートする〝さいたまモデル〟を確立、全国へ展開。

【事業プロデューサーコメント】

地域の活力は、地域経済の中核をなす中小企業の〝元気〟が基盤です。埼玉には、非常に高い技術やノウハウを持った素晴らしい企業がたくさんあります。グローバル化が進む中、価格競争から脱した商品を創出し、『稼ぐ力』を強化していくことが期待されます。

知財を活用した独自商品の開発は、強力な解決策の1つです。ポイントは2つあると考えます。

①高く売れる商品づくりを目指す「出口戦略」②開発を加速させるための「自前主義からの脱却」です。

今後も各支援機関と連携し、〝**埼玉のさらなる元気**〟を目指して活動してまいります。

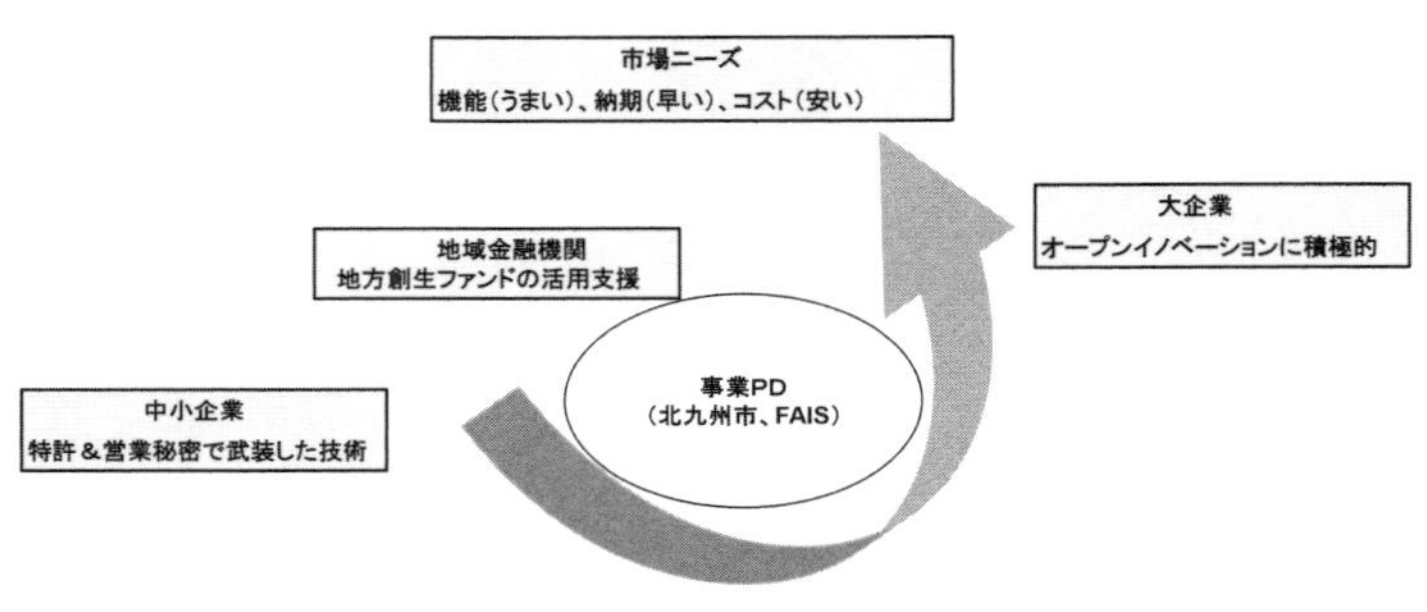

【事業PDの役割】

・とんがった企業発掘→地域支援機関との連携と補助金申請や特許相談
・技術理解（競合分析、機能、コスト）→目利き（課題整理）
・市場ニーズの調査 →わかりやすい訴求ポイント発掘
・知財（特許＆営業秘密）整理→特許が無ければ、S早期を活用して作る
・協業する大企業の選別→提案（共同開発、資金援助、製法、コスト、事業譲渡）

【図２-15　北九州モデルイメージ】
出所：特許庁「地方創生のための事業プロデューサー派遣事業（平成28年～30年度）平成30年度事業実施年間報告書」より筆者作成

北九州市：大企業の市場インパクト効果を使った北九州モデルによる知財活用支援

北九州市では、近藤真吾氏が事業プロデューサーに就任し、「公益財団法人北九州産業学術推進機構（以下、ＦＡＩＳ）」に派遣されました。

北九州市における事業プロデューサー活動は、大企業の開放特許活用とは真逆となる中小企業知財活用を推進した「北九州モデル」がポイントです。（図２－15）

北九州モデルでは、中小企業の技術を大企業へ提供することで新しい商品開発や事業創出を目指します。最大のメリットは、中小企業が技術を提供することによって生まれる地方創生（活性化）効果です。開放特許では、市場に直接商品やサービスを提供するプレーヤーは中小企業の場合が多いですが、北九州モデルは大企業が提供プレーヤーになるため、大きな市場インパクトを与えることが可能です。モノづくりのまちの特性に合ったモデルと言えるでしょう。

本事業では、ものづくりという北九州の地域特性を生かすべく、比較的短期での成果を狙う出口支援と、長期的観点に立った将来性のある開発型プロジェクトとを並行して牽引しながらきめ細かい伴走型支援を行いました。

ＦＡＩＳは北九州市の外郭団体で、産学連携の推進、中小企業の総合的支援、ベンチャー企業創出育成等を通じた新産業創出、技術高度化、地域産業・学術振興等に取り組んでいます。支援に当たっては、事業プロデューサー受け入れ先の機構内に設置されている中小企業支援センター併設の知的所有権センターの協力も得て、案件シーズの事業化、その強化に努めました。

特に最終年度は、高い技術力を持ち、事業化による高い収益力が見込める支援先を絞り込み、重点的に実施しました。

北九州モデルのように市場へのインパクトが大きい開発型プロジェクトを推進する場合、中長期戦となるため、粘り強い支援が求められます。ですからどうしても、一定期間で交代しなければならない体制では難しくなります。その点、事業プロデューサーのように辛抱強くプロジェクトを見届けられる存在は有効だと考えます。

引き続き、中長期間に及ぶ企業の伴走支援も手掛けていきたいと思います。（片桐）

北九州派遣　事業プロデューサーの紹介

近藤　真吾（こんどう　しんご）

【実績・知見】
大手自動車会社にて様々な研究開発、国家プロジェクト等に従事。新規事業開発にも長年携わる。
知的財産部にて、発明発掘等の出願業務や特許調査業務に従事。
多数の新規事業開発経験や特許業務経験からビジネス感覚の鋭さ、技術の目利きに優れている。

【事業プロデューサーコメント】

北九州には、産、学、官、金、労、言（産業界・行政機関・金融団体・労働団体・メディア）という体制が整っており、また、数多くの技術シーズが存在しています。八幡製鐵所から日本のものづくりを創出した地、北九州から、地方創生の成功モデルを全国に向けて発信したいと、本事業に取り組んできました。今後も事業化、新規ビジネスの立ち上げなど、引き続き手掛けていきたいと思います。

第三章　3年間の事業実施経験から見えたこと

第一章、第二章を通して、本事業の概要、事業プロデューサーの活動内容についてイメージしていただけたかと思います。第三章では、事務局・事業運営側の視点から本事業が成功した要因と事業プロデューサーの人材像を見ていきます。

1　本事業の成功ポイント

出口戦略の重視

第一章でも述べたように、本事業の革新性は売り上げを伸ばす事業を生み出していく点にあり、それが本事業の成功要因でもあります。

事業プロデューサーおよび事務局の基本的な考えとして、「出口戦略の重視」がありました（図3-1）。大前提である「知財をもとに成果を生み出す」ことは押さえた上で、考

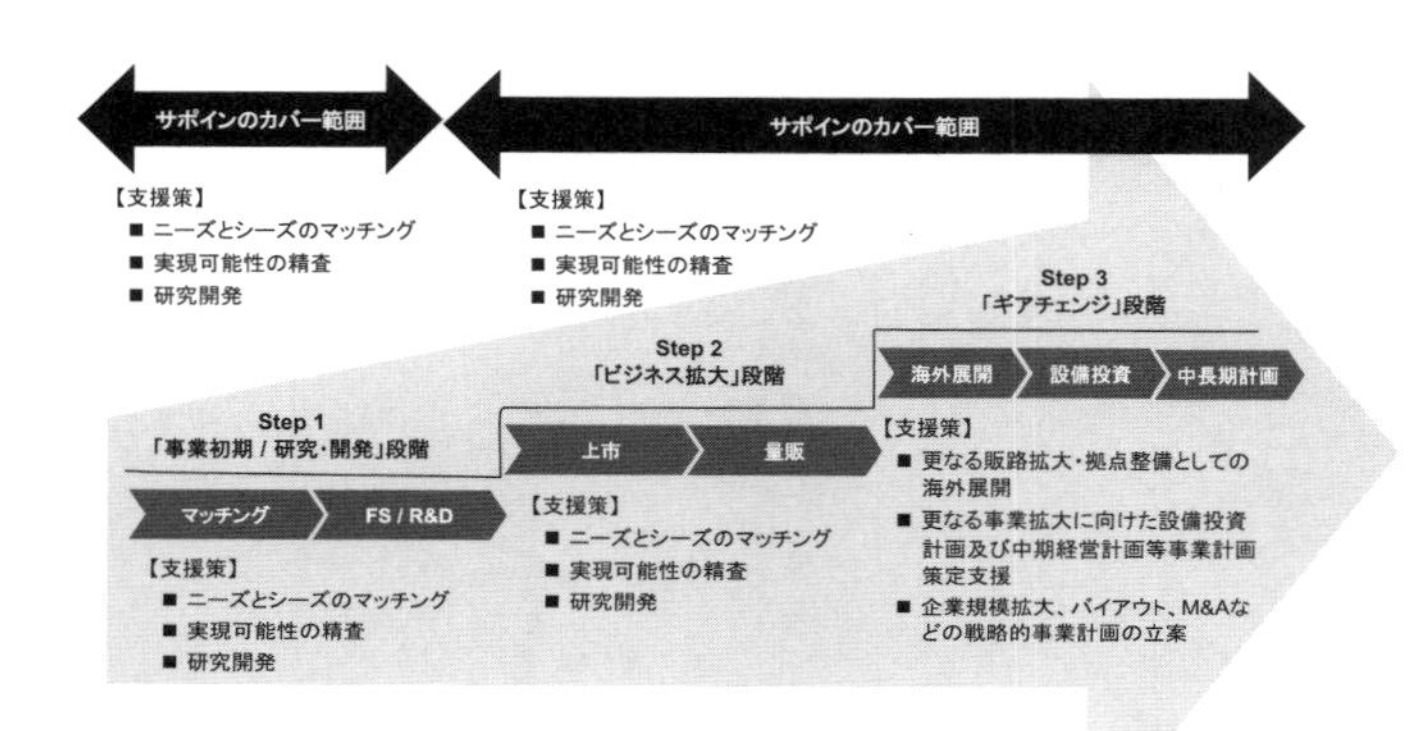

【図３－１　出口戦略重視の思考回路】
出所：特許庁「地方創生のための事業プロデューサー派遣事業（平成28〜30年度）平成30年度事業実施年間報告書」

える順番として「その知財を使った取り組みがビジネスとして成り立つのか」「どうしたら成り立たせることが可能か」を優先しました。理由は、「知財はあっても売れない。売り上げに結び付かない」という観念が、日本の中小企業に常態化していることを身に染みて感じていたからです。

どんなに技術や知財が素晴らしいものでも、買ってくれる人がいて、安定的かつ高すぎないコストで生産と供給ができて、その結果として採算が取れて事業として成立しなければ、それは世に出ません。存在しないこととほぼ同義です。

本事業の事例の中には、先にビジネスモデルを考えて、事後的に知財を取得したケースも実はありました。兎にも角にも「まずは売

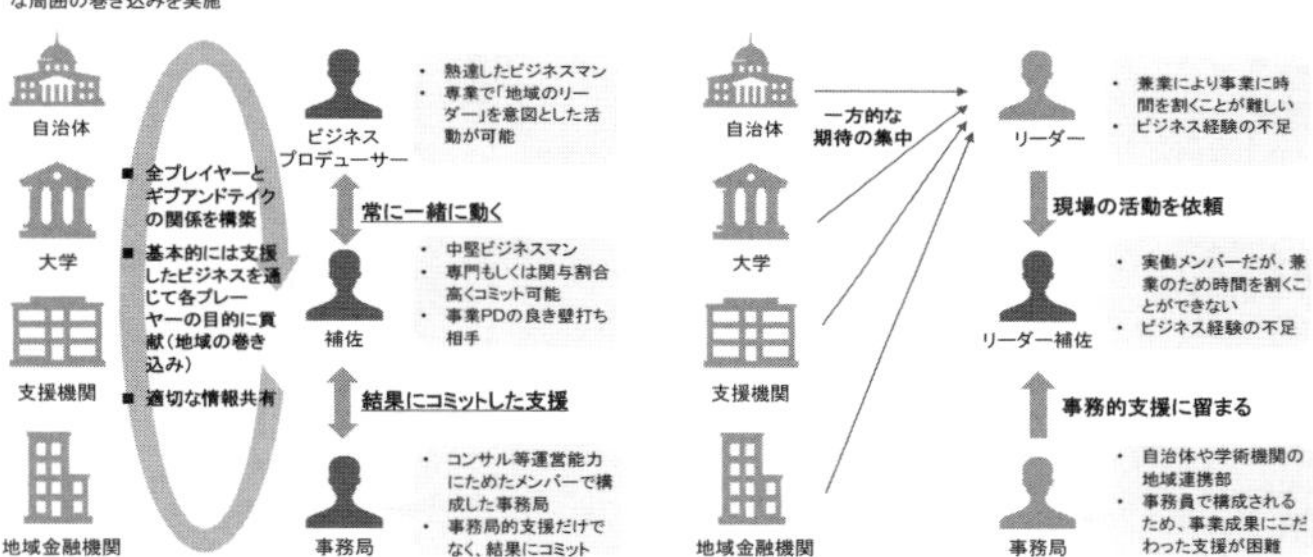

【図３−２　地域の協力体制の構築】
出所：特許庁「地方創生のための事業プロデューサー派遣事業（平成28〜30年度）平成30年度事業実施年間報告書」より筆者作成

り上げのあがるビジネスを生み出すこと」を基本姿勢として採ったのです。

エリア・系列・しがらみを越えた横断的な連携

２つ目の成功要因として、派遣先地域における協力体制の構築が挙げられます（図３−２）。第一章で述べた事業プロデューサーの第二の視点「エリア・系列・しがらみを超えた連携」に紐づく考えです。事業プロデューサーは、地域の産業振興団体、学術機関、金融機関など多様な地域プレーヤーとギブアンドテイクの関係を構築しながら本事業へ巻き込んでいきました。

結果を出すためには、各ポイントで強みを持った地域の様々な産業振興関係者を取り込むことが不可欠ですが、現状は、プレーヤー同士をつなげ、結果を出すまでの長い道のりにコミットメントしていくべき人材が不足しています。そこで、「ビジネス経験豊富な機動力のある現役ビジネスパーソンの集団」として事業プロデュースチームのコアメンバーを形成し、中心となる役割を事業プロデューサーに担わせたのです。それによって、地域のプレーヤーとの関係を紡いでいきました。

ただ単に無償で協力してもらうのではなく、メディアやコミュニティの集まりなどを最大限に活用し、関わっていく人や団体・法人にもメリットを感じてもらいながら協業することがポイントです。結果として、本事業では地域の多様なプレーヤーから積極的な協力を得ることができ、互いにウィンウィンの関係を維持しながら成果を挙げていけたのです。

戦略的な取り組みステップの構築

地域における取り組みのステップ、成果の発信の仕方などにこだわったことも本事業の成功要因だと考えます（図3-3）。

多数のプレーヤーを巻き込みながら事業を行う場合、信頼関係の構築が最も重要です。

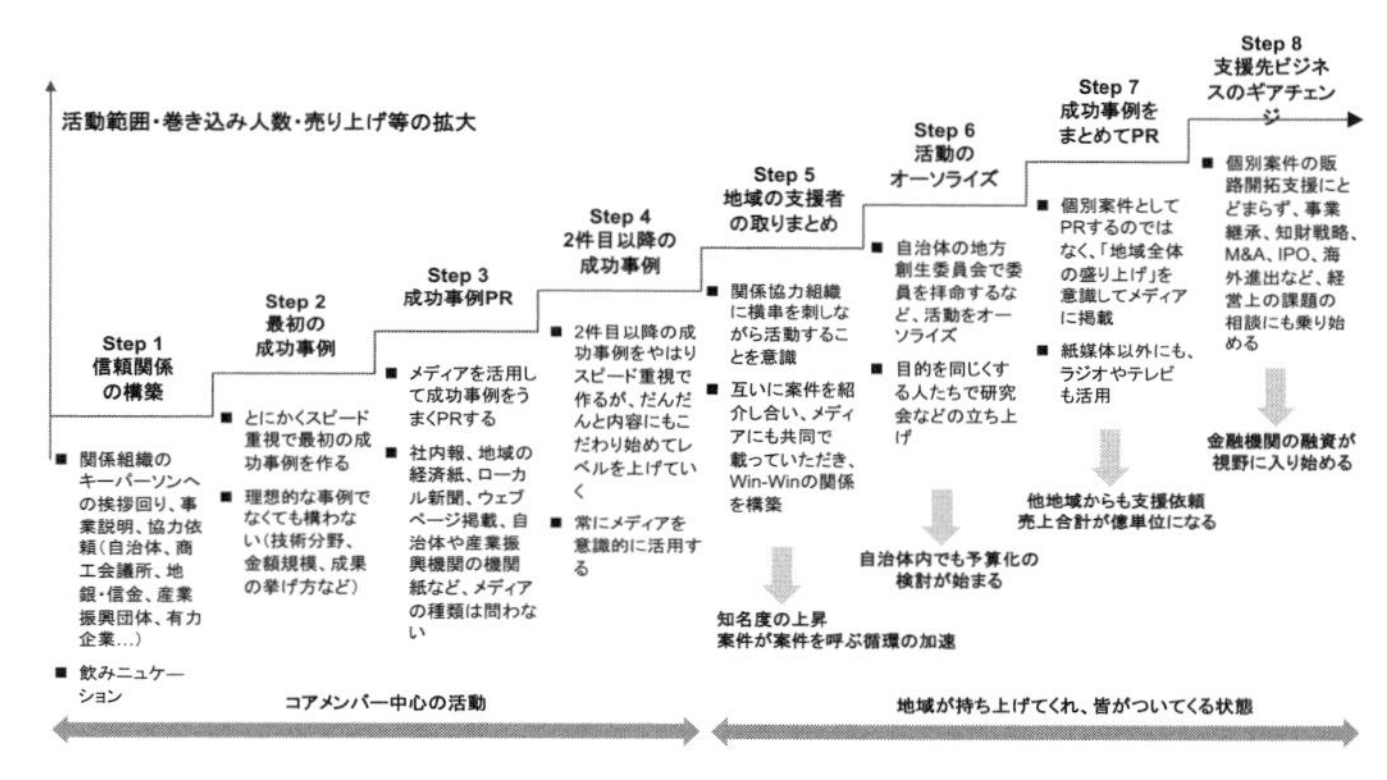

【図３-３　地域における成果の出し方の手順（事業開始から売り上げが向上していくまでの変遷）】
出所：特許庁「地方創生のための事業プロデューサー派遣事業（平成28～30年度）平成30年度事業実施年間報告書」

特に、キーパーソンの理解や応援を得ることが、その後の円滑な協力体制を構築していく上では必須となります。

地域では既存の産業振興機関がいくつかあり、専門性やその設立趣旨によって役割分担がなされています。この中に、新たな産業振興施策として外部から事業プロデューサーが入っていけば、最初は警戒心を持たれてしまうことも無理からぬことです。何せ既存の産業振興組織に派遣されて所属していながら、横串を刺すという新しい立ち位置に、これまで採用されてきた人とは違った経験やスキルを持った人材が飛び込んでくるのです。そのため警戒心を解きほぐすためには、説明を繰り返し、丁寧な意見交換や擦り合わせを通じた信頼関係の構築が、第一のステップとしてとても重要でした。

次のステップは、なるべく早い段階で成功事例を挙げることです。新参者である事業プロデューサーは、地域に入った直後からその実力を試されることになります。成果を挙げるのに時間がかかってしまうと、せっかく苦労して構築した信頼関係も冷めてしまいます。鉄は熱いうちに打てということわざのように、速やかに成功事例の創出へ導き、有言実行により信頼関係を強化していかなくてはなりません。

ステップ3は、事業初期に創り出した成功事例をPRし地域に周知することです。事業プロデューサーの取り組みや成果を広く知ってもらえれば、支援を依頼してみたいと考える企業や産業振興機関の関係者などが自然と集まるようになります。これにより、事業プロデューサー自身が企業や案件の発掘作業をしなくとも、優良な支援企業と効率的に出会うことが可能になります。そして、ステップ4となる2件目以降の成功事例の量産へとつながっていくのです。

ステップ5以降は地域一丸となった持続的な取り組みになっていくことをより強く意識して活動します。まずは各協力先に横串を刺すことを意識し、地域の支援関係者の取りまとめを始めます。ステップ6として、成功事例のPRからは1段階目線を上げて、本事業の活動の意義や戦略そのものを地域の委員会や会合等で説明し、取り上げてもらうことで、地域の産業振興策の1つとしてオーソライズを受けます。その後は本活動をさらに拡大していくため、ステップ7、ステップ8へ進んでいきます。

手当たり次第に事業プロデューサーが単独で動くのではなく、戦略的に段階を踏み、地域を巻き込みながら事業を推進したことが本事業の成功要因です。このモデルは、本事業を展開した3地域だけではなく、他地域にも広く展開が可能だと考えています。

静岡での成功事例創出の要因

成功事例は、技術的難易度が高く時間を要したケースから、技術要素よりは事業戦略の構築など事業運営や経営経験の熟達さが活きた例まで様々です。決して件数の多さだけを重視しているわけではありません。とはいえ件数も1つの重要な観点であることは確かです。件数は単純に、成功に導いた企業数が多いことを意味し、それだけ売り上げや関係者の人数も増え、地域での活動の広がりにつながります。技術的に難しい取り組みを3年間で3件成功させることと、技術的には比較的容易な成功事例を3年間で30件挙げることは、善し悪しではなく、単に戦略の違いによるものであり、結果的には地域の企業の売り上げが増え地域経済に貢献できれば、どちらも正しいと考えています。実際にはどちらかに極端に寄った戦略とはなりません。技術開発領域の案件が多め、事業戦略領域の案件が多め――といった程度の組み合わせになるだけでした。

静岡では、経営戦略、販売戦略、マーケティング、ブランディングといった事業戦略関連の支援で成果を出した企業数が多く、中には大企業の開放特許と地元中小企業の製造技術をマッチさせた案件もありました。ビジネスモデル特許、実用新案、意匠、商標といった技術以外の知的財産を活用した案件も目立ちました。

事務局からすると、静岡での成功事例の創出の要因として、増山事業プロデューサーが、最初に「3年で50件の成功事例を出す」と宣言したことが大きかったと思われます。実際は3年間で20件ほどにとどまったのですが、仮に最初に「3年で20件」と宣言していたとしたら、どうだったでしょうか。数件止まりだったかもしれません。

「50件と言っていたのに20件しかなかったじゃないか!」ということではなく、ストレッチした目標を置くことによって、それを実現する戦略を考えざるを得なくなる環境をつくる手法を採ったわけです。これが、「3年で20件」と言って実際は数件にとどまるのに比べれば、事業としてどちらがよかったかは自明でしょう。

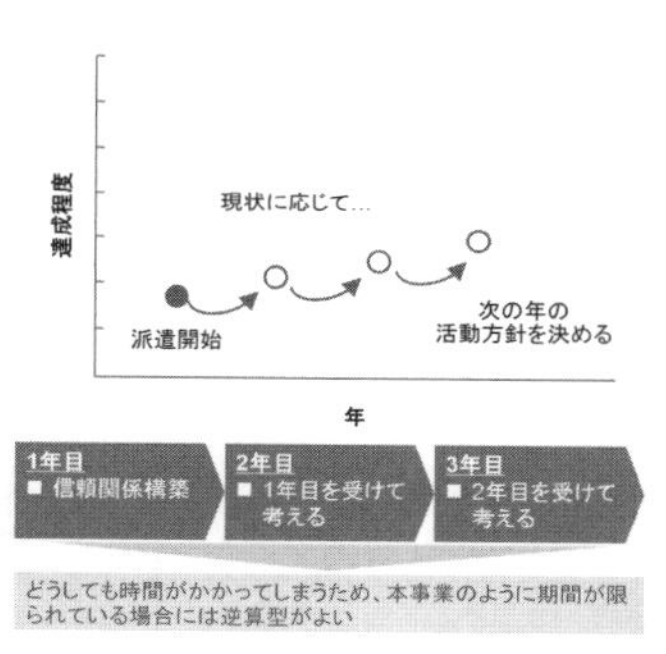

【図３－４　逆算型と積み上げ型の違い】
出所：特許庁「地方創生のための事業プロデューサー派遣事業（平成28～30年度）平成30年度事業実施年間報告書」より筆者作成

「３年50件」の目標に近付くためには、戦略が必要です。事業プロデューサー自身が最大限のスピードとマルチタスクで取り組んだとしても、１人で全てをこなすことは不可能です。地域の力を最大限引き出してもらわねばなりません。静岡県内の産業振興機関とチームを組み、オール静岡でレバレッジする必要があります。しかし、大勢がただ属人的にやるのではいずれ限界を迎えてしまいます。

従って、支援対象企業の発掘からハンズオン支援の成功事例としてリリースするまでのプロセスを仕組み化するのが理想です。もちろん、これを一足飛びに実現することはできません。３年間という短い期間の中で順番に、かつ最短経路で丁寧に進めなくてはなりません。

静岡では戦略的に事業に取り組む手順を構築しました。事業期間の「3年間をどう過ごすか」を逆算して各年の活動方針・ストーリーを仮に設定し、ステップを細かく分けて段階的に進めるやり方を採用したのです（図3－4）。まずは最速で成果を挙げ、PRし、協力者を増やし、さらに成果を挙げ、徐々に仕組み化していくこと。このやり方で、多数の成功事例を生み出すことができました。

2　事業プロデューサーの人材像

事業実施期間はおよそ3年、事業プロデューサーが派遣されて活動ができたのは実質的に2年半です。この短期間で、増山事業プロデューサーはなぜ多数の成功事例を挙げられたのでしょう。当人が持つノウハウもさることながら、そうした人材を選んだ採用の考え方も重要だったはずです。本章では、事業プロデューサーに求められる資質、人材像について考察します。

【図3-5　当法人HPでのプレスリリース】
出所：特許庁「地方創生のための事業プロデューサー派遣事業（平成28〜30年度）平成30年度事業実施年間報告書」

事業プロデューサーの採用の難しさ

事業プロデューサー3名の採用に当たり、事務局はその方法やプロセス、採用基準に大いに悩みました。本事業の成否は事業プロデューサーの資質に左右されるからです。トーマツで普段から中途採用を担当している経営層と議論しながら考え方を整理した結果、ポイントは3点に絞られました。①まずは候補者の母集団を増やすこと、②多様な候補者の母集団を形成すること、③そしてその中から選りすぐりの人物を選ぶこと—。

最初の「①候補者の母集団を増やす」については、プロモーションと雇用条件の工夫が奏功しました。官公庁の事業であるため、人

条件	一般的な産業振興人材の募集	本事業の事業プロデューサーの募集
雇用形態	非正規、嘱託	正規
雇用期間	1年程度の有期	無期
雇用継続	1年更新	無期
処遇	一概には言えないが高くはない	950万円～

【図３-６　一般的な求人情報の雇用条件と処遇と本事業との比較】
出所：特許庁「地方創生のための事業プロデューサー派遣事業（平成28～30年度）平成30年度事業実施年間報告書」

材はヘッドハンティングではなく公募することが必要でした。公募前にはプレスリリースを出し、さらに新聞やネットニュースなど複数のメディアにも掲載いただき、多数の目に触れるよう工夫しました。さらに、転職を考えていそうな社会人の目に付きやすいように、経済系の新聞に求人広告を載せ、経済系のキャリアウェブサイトに応募ページを同時に開設することで、応募サイトからの流入を促しました。（図３-５）

次に雇用条件です。現在多くの地域で行われている産業振興人材の募集を、トーマツも業務として支援していた経緯があり、どのような条件ならば応募者が集まりやすいかは、ある程度把握していました。しかし、現実の産業振興分野の雇用条件は、大手メーカー等のＯＢを想定した非常勤的な嘱託形態が一般的で、どうしても処遇も低めでした。一方で今回の事業の場合、事業プロデューサーは現役真っただ中の優秀なビジネスパーソンである必要があります。そうした人材がわざわざ現職を辞してまで（処遇が下がるケースもあり得る）本事業に応募する決断を促すためには、相当の処遇を用意する必要があると考えました。そのため、本事業では正規・無期雇用とし、年収も約1千万円以上とすることにしました。（図3-6）

こうした工夫により、結果としては全国から130人ほどの応募があり、大きな母集団を形成することができたと考えています。

「②多様な候補者の母集団を形成する」取り組みについては、本事業で成果を出すこと＝支援先の中小企業の売り上げ増に結び付けることを重要な観点としました。

産業振興施策における「成果を出すこと」は、世間では様々なレベル感で捉えられるでしょうが、本事業ではあくまで成果の深さにこだわり、売り上げ増のゴールまで到達すべきであると考えました。細かな点ですが、求人広告では「事業プロデューサー」ではなく、あえて「ビジネスプロデューサー」と表記し、技術開発色以上に事業戦略色の強い事業であることを訴求しました。

当初は、「特許庁」の事業であるため、どうしても研究開発・生産・知財といった部門の出身者が多くなると予想していました。ただ、蓋を開けてみると、CEOやCOO、CFOといった経営者層からの応募が一定程度あり、わずかな工夫が事業戦略領域の候補者を募るのに役立ったようです。

最後の「③選りすぐりの人物を選ぶ」は、当然ながら最も難航したポイントでした。技術や知財中心のキャリアの場合、新規事業を立ち上げて成果を出した、という経験を持つ方は一般的にはわずかです。リーダーシップを発揮して関係者を引っ張り、圧倒的な結果を出すことは難しいかもしれません。逆に、リーダーシップ中心の文系キャリアでも、ある程度は技術や知財への理解は欲しいところ。新参者として地域に入っていくためには、円滑なコミュニケーション能力は不可欠です。さらに素直かつ穏便でありつつ、周囲に流されない芯の強さが求められます。信頼関係構築には、会食なども含めてオフでのコミュニケーションも重要になるでしょう。

地域の力を最大限に引き出し、事業プロデューサーとなる後進を育てながら事業を実施するためには、一定規模の組織を率いた経験も必須です。できれば地元出身など、派遣先地域と何かしらのつながりがあって、事業期間中健康を維持できる体力もほしい。40～50代で単身赴任を前提とした転職ですから、家族の了解を得られることも重要です。

数々の条件はきりがなく、ある程度絞って面接を進めても、選考は困難を極めました。悩みに悩んだ末に、紹介した3人に最終的に決定したのです。中でも増山事業プロデューサーは、多くの条件に合致する稀有な存在で、この事業のためにキャリアを積んできたのではないかと思わせるほどでした。

事務局から見た、事業プロデューサーとしての増山氏

立案した戦略をいざ実行に移すのは「言うは易く行うは難し」で、実現にはかなりのスキルセットを要します。リーダーシップ、プレゼンテーション、コミュニケーションといったソフト面でのスキルセットに加え、技術や知財を理解するためのハード面での専門的な知見も持たなければなりません。地元に縁があり、基本的な信頼感も大切でしょう。しかし、こうした要素を1人が全て完璧に兼ね備えるのは不可能です。それゆえに周囲の人々の協力を最大限レバレッジできなければなりません。

事務局側から見た増山氏を一言で表現するなら「実るほど頭を垂れる稲穂かな」でした。自分一人で完璧にものごとを進めることはできない、だから周囲の人々に各々の力を最大

限発揮してもらわなくてはならない。ではどうするのか―。そのためには一人ひとりの考え方を尊重して自発的に動いていただけるよう促す必要があります。誰しもこれまで積み上げてきた「自分のやり方」があるはずです。それを否定せず、偏見を持たずにフラットに受け入れて、より良い方法を考え、客観的な議論を通じて、各自の持てるパフォーマンスを最大限に発揮してもらう。この過程を自然体で進める様子には感心しました。

向き合うべき要素は、知的財産の種類で言えば、特許、実用新案、意匠、商標というバラエティーがあります。ビジネスプロセスで言えば、製品開発から始める案件、製品はあって後はどう売るかという案件もあるでしょう。支援対象は中堅、中小、ベンチャー企業と幅広く、分野も工業製品から食品産業、サービス業まで広がります。活動地域も、拠点がある静岡県内に限らず、販売先や連携先は県外でも国外でもよいわけです。支援企業も技術に特化した支援を望む方もいれば、とにかく売上高やスピードを重視する方もいらっしゃいます。

事業に関係した多様な要素をまとめて前へ進めるためには、「自分のやり方」に固執しているわけにはいきません。周囲の人々の考えを受け入れた上で改めて自身で考える―。この力がポイントでした。

選考項目	選考基準詳細
1.　マインド	
1-1.　泥臭さ、タフネス	地方の活性化に泥臭く身を捧げるマインドを持ち、粘り強く取組む素養を有しているか
1-2.　将来ビジョン	自分のウィークポイント、不足するリソースを理解し、チームを組成して案件を作るマインドを持っているか
1-3.　熱意	地方で事業を創出し地方創生に貢献する強い意欲を持っているか
2.　人間性	
2-1.　人間的素養	地方社会に受け入れられる人間的素養を有しているか（偉ぶっていないか）
2-2.　リーダーシップ	人材育成、ビジネス化の過程で関係者を巻き込む力、人間的魅力に基づく リーダーシップがあるか
3.　緻密さ、ロジカル	
3-1.　構想力	思考回路が柔軟で、ビッグピクチャーを構想できる力を有し、実現性を検証する慎重さも併せ持つ
3-2.　分析力	多面的に物事を捉え特定のソリューションに拘らず、柔軟に対応するフラットな分析力を有している
3-3.　客観性、論理性	共通項を見出す、抽象レベルを上下させられるなど、客観的な思考回路を有しているか
4.　コミュニケーション	
4-1.　傾聴力	（地元でのさまざまな経歴や地位を築かれてきた）関係者に合わせて、適切に振舞うことができそうか
4-2.　信頼性	すぐに進まない事柄においても、柔軟に対応し、信頼されるアドバイスを行えるか
5.　実績	
5-1.　保有ネットワーク	コネクションやネットワークを有し有効に利活用できる、コーディネート力があるか
5-2.　ベテラン性	地方社会でアピールできる実績を有しているか
6.　印象・外見	
6-1.　印象	人当たり、雰囲気、話しやすさ、相談しやすさ、親身さ

【図３−７　事業プロデューサーの人材像】

出所：特許庁「地方創生のための事業プロデューサー派遣事業（平成28〜30年度）平成30年度事業実施年間報告書」より筆者作成

いつでも多様な考え方を受け入れる器の柔らかさ、腰の低さを持ち、同時に流されずに地に足を付けた姿は見事でした。ビジネス用語で言う「ケイパビリティの大きさ」が増山事業プロデューサーの成功要因だったのでしょう。(図3-7)(片桐)

第四章　持続可能な地域経済を目指して
―事業プロデューサーという呼び水―

特許庁が事業プロデューサー派遣事業を企画した理由

「地方創生のための事業プロデューサー派遣事業（平成28～30年度）」は、前年度の調査研究事業「地方創生のための事業化構想支援人材に関する調査研究」の報告書をベースに企画立案されました。報告書では、地方ではニーズを起点に技術シーズ・技術開発力を組み合わせて事業をプロデュースする人材が不足していると指摘しています。さらに、不足を補うためには事業プロデューサーを派遣して新規事業創出を活性化していく重要性を強調しています。これこそが特許庁が本事業を企画した背景です。（図4-1）

本事業の実施を企画立案し、実施までこぎ着けるのは大変な作業だったと思われます。その担当者であった特許庁総務部企画調査課（当時）安藤美奈子氏に、背景や経緯を伺い

ポイント	具体的内容
1. 地域における事業化に求められる人材像	(1) 地域資源の棚卸を事業目線で行う人材 (2) 事業化へのグランドデザインを描く (3) キャスティングが可能なチーム能力 (4) 企業・地域との信頼構築 (5) 域外のネットワークを保有
2. 地域における事業化支援人材の確保に向けて	(1) 心理的オーナーシップを引き出すインセンティブ設計/評価基準 (2) 受け入れ地域側のコミットメント工夫
3. 実効性のある制度設計に向けて	(1) 支援ノウハウの蓄積が図られる制度と事務局機能の強化 (2) 地域人材の育成を見据えたプロデューサー制度 (3) 域外連携を通じた地方創生 (4) 戦略的な重点分野の絞り込み

【図４－１　事業プロデューサー派遣における制度構築上のポイント】
出所：特許庁「平成27年度地方創生のための事業化構想支援人材に関する調査研究」報告書より筆者作成

ました。安藤氏は本事業実施後から事業終了の半年前に異動するまで、所管課担当者として長く務められました。

（左記は組織ではなく、個人としての見解です）

特許庁　企画調査課課長補佐（当時）　安藤美奈子氏

特許庁では知的財産の活用を促進するために各種の施策を実施しています。本事業「地方創生のための事業プロデューサー派遣事業」もその1つですが、実施期間が3年にわたるものであったため、庁内の調整等、準備には当然大変な労力を要しました。

知的財産制度の趣旨は、知的創造サイクルといって、知的財産を保護・活用して利益を生み出し、その利益を用いて次の新たな研究開発・投資につなげていくことです。しかし現状は、自前で研究開発から新規事業創出を経て上市までができる大企業ならいざ知らず、研究機関や中小企業では技術は有していても、そもそも事業化までたどり着かない、たどり着いたとしてもなかなか売れない、売れるものでも営業ルートや営業力が不足してニーズとマッチングできないといった技術以外のビジネス面の課題が山積しています。特に地方では、シーズとニーズを結び付けられる人材が不足しているため、知的財産を活用して新規事業を創出し、売り上げに実際につなげることは難しいものです。

日本各地に存在する研究機関と日本の企業数の9割以上を占める中小企業は、地域経済にとって大変重要な存在ですが、上記の理由によってなかなか知的財産を活用した新規事業創出が進まないと考えていたため、そこを克服するために前年度からの調査を踏まえて、事業創出経験が豊富な事業プロデューサーを地方に派遣する施策を企画立案しました。特許庁企画調査課のメンバーが一丸となって調整を続け、結果的には、長期間の大きな事業として実施する目途が立ちました。

また、次の課題として、ビジネス経験を豊富に有する事業プロデューサーを選定して3年間採用し、彼らの活躍をサポートすることで、知的財産を活用した地方経済活性化の学びをまとめられる組織に本事業を委託できるかということがありました。そのような中でも継続的に本事業を庁内で応援してきてくれた関係課室の方々、多くの新規事業を創出してくださった事業プロデューサー、事業プロデューサーとともに地方創生に向き合ってくださった派遣先地域の方々、事業が円滑に進むよう最大限のサポートをしてくださった委託事業者であるトーマツの方々、その他本事業に関わってくださった皆様に、この場を借りてお礼申し上げます。本事業の成果が、今後さらに知的財産の活用に関連する施策に活かされていくことを期待しています。

有限責任監査法人トーマツが本事業に取り組んだ理由

本事業に、有限責任監査法人トーマツが取り組んだ理由、背景は何かと言えば、それは迂遠に聞こえるかもしれませんが、日夜、日本経済のために各プロフェッショナルが汗を流しているからです。

有限責任監査法人トーマツは、総合会計ファームBig4の一角であるデロイト トーマツ グループ[11]の主要法人の1つです。大きく分けて監査・保証業務とリスクアドバイザリーの2つの業務を提供しています。グループ内を見渡せば、税理士法人、弁護士法人、ファイナンシャルアドバイザリー等、多様なプロフェッショナルが存在しています。クライアントは日本経済の中枢を動かす企業や官公庁です。我々はグループ内の各プロフェッショナルがつながり、触媒・促進者として社会の未来の姿を描き、日本経済・企業の発展のた

11　デロイト トーマツ グループは日本におけるデロイト アジア パシフィックリミテッドおよびデトロイト ネットワークのメンバーであるデロイト トーマツ合同会社およびそのグループ法人（有限責任監査法人トーマツ、デロイト トーマツ コンサルティング合同会社、デロイト トーマツ ファイナンシャルアドバイザリー合同会社、デロイト トーマツ税理士法人、DT弁護士法人およびデロイト トーマツ コーポレート ソリューション合同会社を含む）の総称です。

めに日々動いています。従って経済発展に係る産業振興、地方創生は当法人においても大きなテーマとなっているのです。

全国40カ所にその地に根差した歴史ある地区事務所があり、主要都市には数十人～数百人単位でプロフェッショナルが在籍しています。監査法人であるため主要業務は監査・保障業務となりますが、それは地域経済と運命を共にするものであり、地域活性化は地区事務所にとっても重要な関心事なのです。

トーマツは長年地域経済の活性化に取り組み､近年では地方創生を掲げる政策について、専門性や各種業界の知見を活かして支援しています。

取り組みまでの想いと奔走

本事業の担当は、リスクアドバイザリー事業本部パブリックセクター部門の産業振興チームです。

産業振興チームは中央省庁や自治体の産業振興策の企画立案から実行支援までを幅広く担当し、監査法人内の他部門や、デロイト トーマツ グループ内の他法人のチームとも連携し、プロフェッショナルがグループ横断で業務を実施しています。

一人ひとりの専門性は、経営戦略、財務会計、税務、知的財産といったコンピテンシーカットや、農林水産、電気機械、ＩＴ、バイオ、金融といったインダストリーカットから見れば様々ですが、共通しているのは地方経済を何とか活性化させたいという地方創生への強い想いです。そうした人材が、産業振興施策が直面している課題に問題意識を抱いていたのです。

現状の産業振興施策は、専門家派遣や経営者等に対する専門的研修の提供、ビジネスマッチングイベントなどが一般的で、ビジネスマッチングのさわり、ほんの入り口だけで終わってしまう場合が多く、それ以上踏み込めないもどかしさがありました。本当は「その後のプロセス」が重要であり、特に新規事業をつくる際は、地道な仮説検証と提案を重ね、やっとの思いで受注獲得に至るわけですが、多くの産業振興施策では、そこまで深い集中的・伴走的な支援が十分にできていない現状がありました。

当然、予算に限界があり財源が税金である以上、公平性の観点から個社に極端には関与できないことは理解していました。一方で、多くのプロフェッショナルが支援対象の中小企業やベンチャーの業績をもっと改善したい、その積み上げによって地域経済の活性化に貢献したいという想いを抱いていました。

このもどかしさを打開する一つの方策として、本事業に取り組むことになったのです。

実施決定後は、事業プロデューサーの各メンバーが前職から大きなキャリアチェンジとなるにもかかわらず、新しい環境に飛び込んできてくれました。本事業は、法人としての想いに加え、大変多くの方の協力のおかげで成立した事業でした。（片桐）

第五章　自走可能な支援の仕組みづくりへの模索

日本の産業振興施策の現状と課題

日ごろ様々なシンクタンクやコンサルティング会社、アカデミアなどのプロフェッショナルが、多くの中央省庁の産業振興施策について、調査研究から政策提言、実行支援までに関わっています。一方でそうしたプロフェッショナルは、自治体の産業振興関係当局とも連携し地域経済の活性化のための産業振興施策の実行支援業務にも携わっています。地元の有力企業からベンチャーまでの監査、経営・事業戦略策定コンサルティングを行い、地銀・信金や各種産業振興機関、大学等様々なプレーヤーとも連携した活性化貢献にも努力を続けています。

こうした実践を通じて、我々も常に自走可能な支援の仕組みづくりを模索してきました。そこで、今回の事業プロデューサー派遣事業の経験も加えて、今後の産業振興施策の在り方を提案してみます。

まず、自治体が実施する産業振興施策では次のような形がよく見られます。

A　支援対象の中小企業を公募し、製品開発やマーケティング、展示会等にかかる費用を補助する

B　地元有力者の委員による有識者委員会をつくり、支援対象の中小企業を公募・選定し、経営戦略や事業戦略についてのアドバイスを仰ぐ

C　アドバイスだけでは実現が難しい場合、数回のアドバイザー派遣費用を補助する

D　産業振興機関で経営相談を受け付ける、受注斡旋を行う

Dの受注斡旋までやっているところはそう多くはないかもしれませんが、多くはこの4つに集約されます。この中で課題は2つ、1つは従事する人材とそのミッション・処遇、もう1つは支援の深さです。

日本の産業振興施策の課題　①人材とミッション・処遇の関係性

ものづくり大国日本には、製造業の知見を有する、研究開発、生産管理、知的財産など

の企業ＯＢを中心とした専門人材が数多くおられます。各人ともその道の専門家であることはよいのですが、課題は産業振興施策に取り組むに当たっての事業の意義と従事する人材の処遇をどうするかです。

自治体は国民の税金によって運営されていることもあり、「公平性」は重要で、特定の企業を集中的に支援する手法は難しくなり、どうしても支援対象の企業数を多くすることが重視されます。そうすると一社一社に対する支援を深くすることは難しく、結果として「広く浅い」支援になり、結果につながりにくくなってしまいます。

専門家の意義も広く浅い設定になり、できるだけ多数の経営相談を「受ける」傾向が強まります。この「受ける」も課題です。民間企業の特に営業部門にいれば当然に「積極的に提案する」スタイルでなければ大きな成果は期待できません。自治体からすると民間企業の営業的な部分は「官の領域ではなく、民の領域」と捉えられがちで、結局「そこまでするのは難しい」となって、せっかくの専門家を「広く浅く多数の相談を受けて」と限定的に使ってしまうのです。

成果主義を取る民間企業では、優れた経験豊富な人材には高額な報酬を提供するのは当たり前なのですが、自治体では公平性が重視されることから成果主義がなじみづらく、成果に基づく高額報酬の支払いもまれです。専門家の高い知見を求めながらも用意する報酬は低く抑えられがち。それでは現役のビジネスパーソンは集まりづらく、どうしても常勤の人材を配置することは難しくなります。このようなジレンマを抱えた状況は、成果を求める支援を受ける側の企業からすれば不十分に感じてしまうのです。

日本の産業振興施策の課題　②支援の深さ

人材に続く課題として、②支援の深さも重要です。「公平性」「受け身」のスタンスでは足りないのです。なぜなら事業を立ち上げるということは、地道なリレーション構築から始まって、相手の課題を分析し、自社で何ができるかのソリューションを何度も提案し、契約交渉を経てようやく初期的な小さな仕事の契約締結にたどり着くという営みだからです。無事に製品、サービスを提供できても、何か問題があれば飛んで行って解決し、ときには謝罪して、価値提供を途切れさせない。やっとの思いで構築した信頼を基礎に、中長期的な取引関係を築いていくためには息の長いフォローが求められるのです。

よくある産業振興施策のビジネスマッチングイベントはその始まり部分だけで、支援が終了します。アドバイス事業はあくまでアドバイスだけ、後は企業に任されます。要所要所で費用を補助する事業も、書類作成にかかる人件費でそのほとんどを費やしてしまいます。多くの企業は右記のプロセスを一緒に伴走してくれる「実行」部分の支援者をこそ求めているのです。

自治体の産業振興施策を担う産業振興機関では、専門家と事務局という支援者の性格上、これができません。できなければ成果は挙がりにくくなってしまいます。

その意味で、今回の事業プロデューサー派遣事業は画期的でした。現役のビジネスパーソンである事業プロデューサーがリーダーを務め、事務局も現役の経営コンサルタントで構成し、さらに現場チームで解決できないことは組織的にバックアップを行い、企業と二人三脚で実行を支援する態勢は革新的であり、今後の産業振興施策の1つのヒントになると考えています。

民間の知見を最大限活用すべき

右に述べたような課題を解決するにはどうしたらよいのでしょうか。官公庁や地方自治体の自前の予算だけに頼ってしまう場合、拠出可能な予算額の大きさや継続性は制度上制限が出てきてしまいます。また、現在の日本は、少子高齢化、人口減少社会であり、社会福祉に予算が多く必要な状況です。この中で、税収を急激に増加させることはなかなか難しいでしょう。そうすると、今後減っていく税収だけを財源としていては、実行部隊に係る人材の確保や十分な処遇の設定は難しく、またできたとしても持続性を保つことが困難です。

そこで、打開策として考えられる1つの方法は、民間の知見をより一層活用し官と民が連携することだと我々は考えています。民間の企業といってもリサーチに専門性を有する会社、マーケティングに専門性を有する会社、戦略策定までの会社、実行支援は得意だが逆に戦略は苦手な会社、広報や会計、税務・法務など一部のコンピテンシーに強い会社など様々です。また、産業振興だけでなく、様々な社会課題への取り組みは、多くの場合、単独のプレーヤーだけで行うことは難しいでしょう。そのため、政策目的に合致した会社を選択し、得意技を持つ会社同士を連携させることも、民間の知見を最大限に活用した官民連携モデルを模索する上でのポイントになってくると考えます。

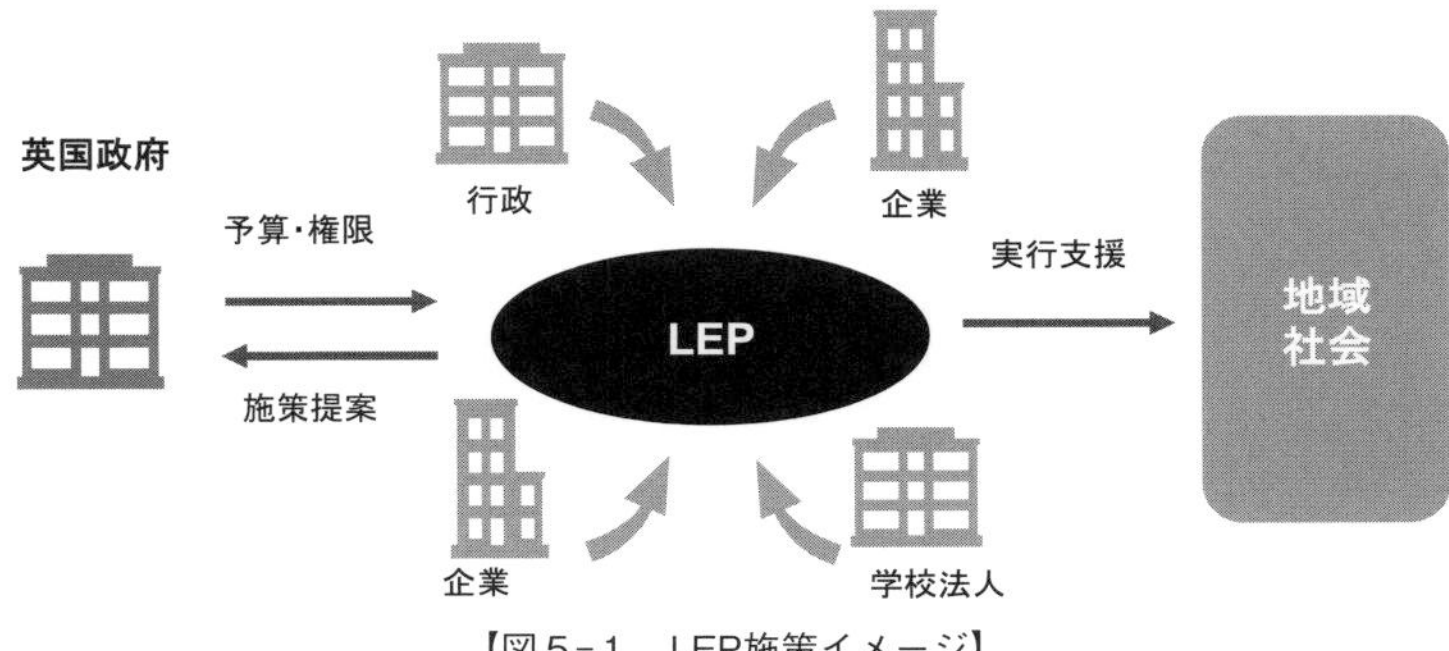

【図５－１　LEP施策イメージ】

英国ＬＥＰ（Local Enterprise Partnership）

　この発想で先行しているのはイギリスかもしれません。イギリスには地域開発公社の進化形態とも言えるＬＥＰ（Local Enterprise Partnership）という仕組みが導入されています。ＬＥＰは２０１０年に発表された民主導の官民パートナーシップのプラットフォームであり、地域経済を活性化するための産業振興施策の企画立案から実行支援までの一部を民間が担っています（図５－１）。

　その特徴は次の通りです。[12]

(ア)　民間部門中心の組織
(イ)　財務の自立
(ウ)　実際の経済エリアを軸とした圏域設定
(エ)　客観的評価の導入

12　(ア)～(エ)＝星貴子（２０１６）「地域産業振興策の現状と課題　―推進組織からみた地域産業振興の在り方―」『ＪＲＩレビュー』より引用

まず(ア)「民間部門中心の組織」について、ＬＥＰは株式会社などの法的な法人格は持ちません。ただし、その運営メンバーのうち半数以上は民間企業の人材で構成すること、また委員長も可能な限り民間側が担うことが推奨されています。このような運営体制とすることで、民間の強みを発揮しやすい環境を生み出しています。

(イ)「財務の自立」は、ＬＥＰの運営資金における自立性です。基本的には運営資金は各自治体と参画する企業が自立的に負担するように定められています。ただし国が一切関わらないわけではなく、地域成長ファンド（Regional Growth Fund）という助成金も設定されています。地域成長ファンドは、地域に雇用を生み出す企業活動を補助するものであることから、支給対象はＬＥＰだけではなく、民間企業などその他団体・法人も含まれます。また、地方成長基金（Local Growth Fund）という補助金もあります。この補助金は、ＬＥＰを対象とした補助金ですが、分配金額は一律ではなく、各ＬＥＰ提出の計画内容によって傾斜がつけられます。つまり、ＬＥＰが活動を行う上で活用可能な助成金は競争的資金として位置付けられ、資金獲得には各ＬＥＰの運営メンバーが積極的に情報収集をし、戦略的にプロジェクトの検討から申請、提案を行っていくことが求められます。このようなプロセスには競争が発生することになるため、ＬＥＰは地域の産業振興施策にコミットメントし続けること、成長することが必要となるのです。

(ウ)「実際の経済エリアを軸とした圏域設定」は、ＬＥＰの設置エリアについてです。２０１９年現在（本書執筆時）、英国イングランド内に38のＬＥＰが設置されており、これらは通勤圏などを基に実質経済圏を対象に設定されています。市町村では地域を経営するには行政単位が小さく、都道府県でも実態の経済実態とずれてしまう地域があり、国では大きすぎます。ＬＥＰでは各地域が持つ課題に沿った施策を立案、実行し、自立的に運営することを目的に、エリア設定しています。

最後に(エ)「客観的評価の導入」についてです。ＬＥＰは政府に対して毎年度、各プロジェクトのアウトプット、目標の達成状況などいわゆる事業成果に関する報告を行うことが義務付けられています。特許庁委託事業「地方創生のための事業プロデューサー派遣事業」においても「ＳＲＯＩ（社会的投資収益率）」を用いて、「社会インパクト評価」を行いましたが、やはり第三者の目線でプロジェクト効果を評価することは、プロジェクト、産業振興の発展性を促すにも重要な論点になると考えます。

日本版ＬＥＰ

ここまで、ＬＥＰの基本的な仕組みや特徴について説明してきましたが、もし実際にＬＥＰのような団体とその運営手法を日本に導入するならば、その成否は(イ)「財務の自立」ができるかどうかにかかってくるでしょう。

最も難しい財務の自立のために、(ア)「民間部門中心の組織」があるのだと考えます。(ア)「民間部門中心の組織」については、本書でも民間の知見活用の重要性を説いてきた通りですし、(ウ)「実際の経済エリアを軸とした圏域設定」も増山事業プロデューサーの活動スタイルに現れています。(エ)「客観的評価の導入」も本事業全体の評価で実践されています[13]。

財務の自立とは、どうやって稼ぐのかと同義です。仮に日本で日本版ＬＥＰとして官民が連携した団体や法人を設立した場合、人件費、活動費等の運営資金をどのように継続的に獲得・運用するか、という点はクリアすべき大きな課題です。

前述の財務の自立性についてもう少し具体的にイメージを持っていただくために、官民連携で地域商社を設立、運営する場合を考えてみたいと思います。運営資金源は、会員企業の会費のほか、例えば地域特産品の販売収益と考えられますが、仮にこれら資金で設立費や運営費を賄えない場合、資金の獲得・運用方法は大きな論点となります。

地方自治体などからの補助金獲得は考えられますが、補助金は使えばなくなります。そのため、補助金もうまく活用しながら、やはり地域商社自身が稼げるようになる必要があります。

また、商社というからには経営者のほか営業、貿易や通関に詳しい総務経理などの人員が必要です。地域の中小企業が苦手な経営戦略から販売戦略、営業要員確保、販売先との交渉、資金調達、通関代行、物流網構築といった活動に対し、付加価値を付けた支援をどう提供できるかが勝負どころでしょう。地域経済の活性化につなげるには、中小製造業の製品を販売して大きな収益を挙げるビジネスモデルの構築が求められるのです。

このように論点は多く、この取り組みを地域商社が単独で実施することは難しいかもしれません。

13　参考：特許庁「地方創生のための地方創生のための事業プロデューサー派遣事業（平成28～30年度）」平成30年度成果報告書

やはり、各論点に強みを持つプレイヤーの知見や取り組みが有効的であり、求められるため、財務の自立を考えたモデルを実現するためには、民間企業、金融機関、学術機関等地域が一体となって挑戦していかなければならないでしょう。そして繰り返しになりますが、民間の知見を活用し、横の連携を進めることが何よりもポイントとなります。

もちろん民間だけではなく、行政の力も非常に重要です。現在日本では、成果連動型民間委託契約方式[14]による契約など、産業振興や地域経営における財政的な自立を求めた仕組みが検討、試行されています。行政による新たな仕組みの構築も地域経営に自立性を持たせる動きを加速させるのに肝要です。

右のように行政と連携しながら民間が集まり、得意技を提供し地域を運営、発展させていくモデルはイギリスだけに限らず、日本の地方創生においても有効だと考えられます。

イギリスは、元は日本と同様に政府の権限が大きく、自治体の権限は小さい国でしたが、時代が変容する中で経済状況も変わり、緊縮財政や複雑化する社会課題などを背景に、自治体への権限委譲が図られてきました。そして、２０１０年の政権交代によりローカルガバナンスの体制が行政主導から民間主導型、地域主導型へと転換されました。この時に導入されたＬＥＰは、２０１８年3月末時点で合計76億ポンド以上の民間投資を提供し、19万６０００社以上の企業をサポート、18万人以上の雇用を創出するなど成果を着実に積み上げてきています。

ＬＥＰは、官民が連携した自立的な地域経営、産業振興施策運用の１つの参考モデルになるのではないでしょうか。（片桐）

14　成果連動型民間委託契約方式とは…地方公共団体等が、民間事業者に委託して実施させる事業のうち、その事業により解決を目指す「行政課題」や対応した「成果指標」が設定され、地方公共団体等が当該行政課題の解決のためにその事業を民間事業者に委託等した際に支払う額等が、当該成果指標の改善状況に連動する契約。（出典：内閣府成果連動型民間委託契約方式「ＰＦＳ：Pay For Success」ポータルサイトより引用）

最終章　地域経済が目指すべき方向性

人々に高所得な生活をもたらす強い産業をつくることが重要

地域経済の産業振興施策の企画立案や実行支援という仕事をしていると、中央省庁のほか自治体の仕事や、首長からの直接の依頼案件などを通じて、人口減少に向き合う地域の焦燥感がひしひしと伝わってきます。

消滅可能性都市という言葉もあります。そのような都市にはどのような選択肢があるのでしょうか。大まかに3点挙げてみます。

①　何もしない、もしくは消滅スピードを遅らせる策を取る

②　近隣自治体に吸収合併してもらう

③　自力で生き残る

①と②は中長期的には同じです。③の生き残りを選ぶなら、策を考えて実行し、結果を出す必要があります。「生き残る」には、その地域の経済を賄う程度の最低限の人口を維

持しなくてはなりません。容易ではないことは明白です。減っていく人口を維持するためには、流出を抑え、外から獲得し、自然増を促すしかありません。

実現するには、高い所得を得て生活できる条件を整えることです。高所得を生む強い産業があれば、そもそも住民は流出せず、外からも人は勝手に流入してきます。企業活動や賃金から得られる税収を、子育て環境の整備に大胆に振り向ければ、自然に出生数も増えるでしょう。

進むべき方向性自体は分かりきっています。課題は、人口流出⇓働き手の減少⇓地域経済の衰退⇓さらなる流出…という悪循環を断ち切り、どうやって好循環に持っていくかです。

人口増を目的とした移住促進や外国人の誘致、人口の自然増を促すための婚活支援等取り組みは様々ですが、最終的には地域経済が弱ければ人はいずれその地を出て行ってしまいます。やはり人々に高所得をもたらす強い産業をつくることが大きな解決策なのです。

日本と海外の都市における分かりやすい例を1つずつ取り上げたいと思います。日本国内でいえば、グローバル企業の本社がある豊田市です。豊田市は自動車関連企業を中心に産業が集積しており、言わずと知れたクルマの街です。人口は、２００８年から２０１７年を比較して約０・６％増の42万５７１８人とほぼ横ばいで、また合計特殊出生率は１・５８％（２００９年）～１・６３％（２０１４年）の間を推移しています。日本全体で見ると、人口、出生率共に減少傾向にある中で、同市がこのように持続的に発展している背景には、グローバル企業が生み出す安定的な雇用が存在している影響は大きいと考えられます。まさに世界を相手に、自律的に稼ぎ続ける民間組織が所在する地域としての強さが分かりやすく見える街の事例と言えるでしょう。

海外に目を向けると、例えばドイツのエアランゲン市が小規模都市ながら自走を続けている都市の事例として挙げられます。同市はドイツ南部のバイエルン州にあり、人口11万人ほど。グローバル企業のヘルスケア部門本社が置かれ、医療・エネルギー系の産業を核としています。実は、この地域の発展、自走を可能にしている背景は、単独の企業活動によるものだけではありません。大きな都市ではないものの、グローバル企業を中枢として形成された事業創出機会に目をつけた医療ベンチャーが集まり、また研究の機会を求めて理系学生が集まっているのです。街を支えていくであろう次世代の人材が育つシステムが形成されることによって、街としての持続的な発展を実現しているのです。

以上のように、世界を相手に自律的に稼ぎ続ける民間組織が所在する地域は強く、人口動態の波に抗う知恵と工夫、そして、それを実現する体力があります。ＩＴ立国を標榜するエストニア、高福祉高負担の北欧諸国、優秀な人材を集める戦略に長けたシンガポール、手本としては微妙ですがタックスヘイブンの国々など、小国であっても知恵と工夫で自国の魅力を高めているのです。グローバル企業を中心に人が育ち、新たな事業が創出されていく好循環が生まれることで、その都市の自走能力は高まっていきます。このように見ていくと、住民に高所得をもたらす政策を取れるなら、自治体や国の地理的条件や政治的条件等は関係なく、持続可能性の高い地域をつくっていくことはできそうです。

新たな産業振興「装置」の組成

グローバル企業の拠点を持つ事例を紹介しましたが、これは、グローバルな『大企業』を誘致すべきと主張したいのではありません。グローバルマーケットを相手に利益を上げている日本の中小企業はいくつもありますし、地域によって取り組むべき課題、強み、弱みはそれぞれでしょう。また、地域の特性も様々だと思います。

そのような背景の中、各地域で強い産業を生み出すためのポイントは、地域に合った取り組みテーマを地域ごとに決めて施策に臨むことです（図6-1）。取り上げた事例を参考

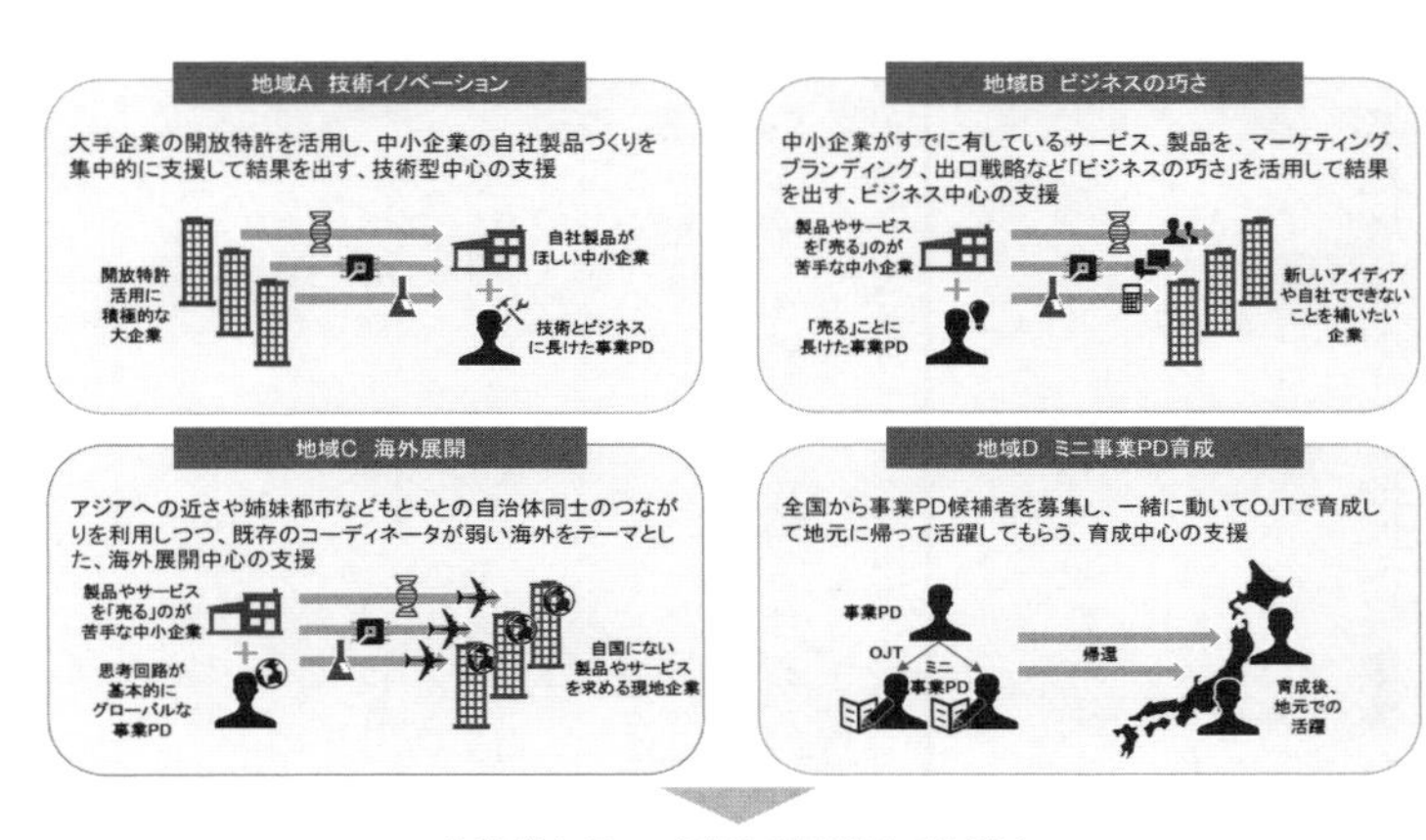

【図6-1　地域ごとの産業振興施策展開イメージ】
出所：特許庁「地方創生のための事業プロデューサー派遣事業（平成28～30年度）平成30年度事業実施年間報告書」より筆者作成

にすることは非常に有効ですが、無理やり地域の産業施策のテーマをそっくりまねしたり、成功例にこだわったりする必要はないのです。

また、地域によっては「いやウチには何もないから…」と感じられることもあるかもしれません。しかしながら、諦めずに、客観的に産業振興策を練り直してみることは大変重要だと考えます。

例えば、前章で少し触れましたが、民間の知見を活用する地域産業活性化の1つの具体策として地域商社の創設はどうでしょうか。今回の事業プロデューサー派遣事業は一時的かつ属人的な取り組みではありましたが、これを継続的に実施する1つの手法として、地域商社の創設は有効と考えています。

産業振興の予算を確保または増やす上で、製造立国として進んできた日本の中小企業を復活させることが、大きな税収につながる道と考えられます。ただ、元請けの大手メーカーはどんどん海外に進出し、下請けは取り残されがちな構図となっています。

丁寧に見ていけば中小企業には世界と戦える技術があり、それをスケールさせられれば、未来を切り開くカギとなるでしょう。事業プロデューサー派遣事業は地域でそうした中小企業を発掘して活性化に貢献できるのですが、官の予算には期限があるため、あくまで一時的です。そして派遣される人材の経験とスキルに大きく左右されることから、属人的な取り組みであるという弱みもあります。

そこで、これらの課題を解決する方策として、製造業の中小企業の製品/商品を取り扱い、大量に海外に売っていく、地域商社のような産業振興のための「装置」をつくることが考えられます。地域商社の事例としては、高知県の（株）四万十ドラマや一般財団法人こゆ地域づくり推進機構等複数あります。概観するなら産業振興公社のような団体を民間企業が中心となって運営するイメージです。継続的に売り上げを伸ばすことで事業プロデューサーを採用できる予算を確保し続け、規模を拡大していくことによって採用予算を増やし、多様な事業プロデューサーを揃えられるようになれば、属人性を減らしていくことができるはずです。

とはいえ、これは立ち上げフェーズをどう乗り切るかが大変難しく、軌道に乗るまではやはり自治体にも出資してもらうなど、どうしても呼び水とインキュベーション期間が必要になると考えられます。そのための合意形成にも時間と労力を要することは容易に想像がつきます。従って、自治体も民間企業もかなりのやる気が必要になりそうです。

先にも述べた通り、かつて人口、経済とも右肩上がりで、税収も伸び、高福祉低負担を実現しうる前提が揃っていた時代がありました。そして今、人口ボーナスによるラッキーな状況は終焉し、右肩下がりにもかかわらず社会保障負担は増えていくのが現実なのです。これを賄うため産業振興による税収確保が必要ですが、ひと昔前は決め手となった企業誘致という産業振興策は十分に機能しなくなっています。企業の海外進出増加に伴い、誘致どころか流出に歯止めをかけるのに躍起になっている状態です。個々の自治体で期待するプレーヤーとしてで浮上する現有リソースは中小企業であり、このセクターの売り上げを積み上げて地域経済を活性化する道しかありません。しかしその肝心の中小企業を支援し、結果を出そうにも予算が足りない。

繰り返しになりますが、この悪循環を打開するのが、中小企業支援施策の延長線上に構想する地域商社やＬＥＰの概念を展開したモデル、つまり民間が集まり、得意技を提供しながら地域を運営、発展させていくモデルであると我々は考えています。

これを実現していくのが増山事業プロデューサー、片桐とそのチームの次なる挑戦です。今回の３年間の事業活動の中で、静岡を含め地域のために頑張る地元企業や団体、行政の皆さんといくつも連携をしてきました。引き続き彼らと協力をしながら日本版ＬＥＰの検討や地域商社設立など持続・自走可能な地域経済の実現に向けて取り組んでいきたいと思います。（片桐）

コラム

継続的な地方創生への取り組み

有限責任監査法人トーマツは、幅広く地方創生事業を手掛けています。各事業は単発的に終わるのではなく、できるだけ長い目で継続的に取り組むことを念頭に日々事業展開しています。継続性を重視するのは、そうすることで社会へのインパクトを生み出し、より理想的な社会へ近付くことを期待しているからです。

今回の静岡での取り組みは、静岡県産業振興財団が事業プロデューサーを設置する形で続いています。事業プロデューサー派遣事業についても、静岡、北九州、埼玉だけではなく、２０１９年度から特許庁「福島知財活用プロジェクト事業創出実証研究事業（令和元年度）」を当法人が受託し、派遣モデルを福島県でも展開しています。

ここでは、「福島知財活用プロジェクト事業創出実証研究事業」の有識者委員である創成国際特許事務所の佐藤辰彦会長に地方創生、日本企業への想いを語っていただきました。佐藤氏は福島県で知財活用を通じた中小企業支援に取り組まれています。（増山）

創成国際特許事務所佐藤辰彦会長

２００７年に日本弁理士会長となり同年、故郷の福島県との間で知財支援協定を締結しました。その際、知事から福島市に特許事務所がないので、ぜひ作ってほしいとの要望があり２００９年、東京事務所の支所を福島市に設けました。それが故郷での知財活動のきっかけです。以来10年にわたって福島での知財活動を行っています。

福島県は工業材料出荷額が東北トップなのに、特許出願件数は、最近ようやく３００件を超えたところで、全国的に見ても低調です。近時、少子高齢化と若手人財の大都会への流出によって地域産業が縮小しています。大手企業の工場が海外移転し、県内も工業の空洞化が進んでいます。そこに東日本大震災と原発事故が起き、福島県は復興途上。いまだ大きな進展が見られておりません。
そこで、雇用を生み若手が元気に活躍できる地域にするためには知財を活用した事業・産業おこしが必要と考え、福島に密着した活動を２０１７年から展開しております。その結果、県や市が動き、これを国の特許庁が応援し、日本弁理士会も支援プロジェクトを作って応援する他県には見られないほどの大きな盛り上がりを見せています。取り組みを次に列記してみます。

• 福島県の動き～

①２０１７年７月　第１回知財広め隊セミナー（郡山市）
②２０１７年　秋　福島県が県議会で知財関係の補正予算を組む
③２０１８年　秋　福島県浜通り地方13市町村の中小企業は特許庁料金が１／４なる
④２０１８年２月　郡山市と日本弁理士会との支援協定
⑤２０１８年４月　会津大学へ特許庁審判官を産学連携促進のために派遣
⑥２０１８年６月　知財金融セミナーの開催
⑦２０１９年１月　特許庁の福島での知財活用支援の取り組み
⑧２０１９年１月　地域での知財塾開催
⑨２０１９年２月　「川崎モデル」の実施

⑩２０１９年月予算　知財マッチング交流事業～各市における川崎モデルの実施　１７００万円

・福島イノベーション・コースト構想機構の動き～

①「福島イノベーション・コースト」構想重点分野等事業化促進事業：知財戦略支援業務委託」

・市の動き～

①知財人材育成　いわき知財塾（いわき市）、ベーシック知財ゼミ（郡山市）

②知財啓発事業　知財啓発セミナー（須賀川市）

・特許庁の動き　２０１７年から「福島知財活用プロジェクト」を立ち上げ

①知財啓発セミナー　２０１８年度　会津若松市、いわき市、郡山市

２０１９年度　南相馬市、白河市、会津若松市、郡山市

②アクセレータ事業↓プロデューサー派遣

・日本弁理士会の動き～

①２０１７年知財広め隊セミナー（郡山市）

②２０１９年知財広め隊セミナー（郡山市）

③福島支援プロジェクトの設置

④２０１９年中級知財塾（郡山市、いわき市）、課題解決型マッチング事業

・マスメディアの動き～福島民報が精力的に知財活動を報道

①ふくしま産業賞～地域企業の掘り起こし

②知財事業の周知化への貢献→逐次知財事業を取材

各地域でもそれぞれ地域創生に取り組んでおります。国も今後進む少子高齢化を見据えて取り組んでいます。しかし、まだまだ大きな成果が見えるところまで来ていないと感じます。産業のグローバル化の中で地域経済は元気がない状況です。頑張っている地域と頑張れない地域の格差は広がっています。

そこでは、新しい事業・産業を地域に生み出していく地域創生のサイクルが必要です。その際、発明やブランドなどの知的財産は新規の事業・産業を興す起爆剤になると思っています。これまでも大発明やブランド化は新たな事業や産業を興してきました。

特に、ＩｏＴ、ＡＩ、ビッグデータにより第４次産業革命が進行する今、地方でも大都会と同じ立場で事業を興すチャンスが来ております。国もようやくそれに気付き「地域知財活性化活動」を政策として進めています。

日本が元気になるためには地域経済を支える中小企業やベンチャー企業の活性化が必要です。現在、第4次産業革命の中、大手企業も新規事業への転換に努めています。M&Aやベンチャーへの囲い込みが進み、ベンチャーの第4次ブームが起こり、新規事業が多数立ち上がっています。そこでは、新規事業興しにつながる知財の創出が不可欠です。創出された知財が活用されて新規事業が生まれ、その新規事業が地域経済を活性化するという循環が求められます。

知財を活用した地域創生のためには、息の長い取り組みが必要で3～5年の期間がかかります。それを持続的に行うためには、これを推進する事業主体を明確にし、熱意あるキーパーソンを支えなくてはなりません。さらに、地域資源を目利きして地域に合った事業を企画し、これを推進する。地域内外の力を投入・活用し、地域の人を啓発するメディアの支援も呼び込む必要もあります。

福島県での取り組みのほか、長きにわたって取り組んできた中小企業へのサポートを通して培ったノウハウ、手応えをもとに、今後も地域・企業の課題解決にアプローチを続けていきたいと思います。

あとがき

事業プロデューサーの横展開は可能か

今回3カ所で実施した「事業プロデューサー」派遣の取り組みについて、「地域を問わず横展開は可能か――」と自治体関係者から相談を受けることがあります。説明にあがると、たいてい懸念の声が返ってきます。曰く、「うちの地域には知財を持った中小企業がそれほどない」「たまたま有能な方だったから結果を出せたのではないか」「事業プロデューサーを育成する方法はあるのか」……など。それには、次のようにお答えしています。

知財を有する中小企業は間違いなく存在し、事業に入ればその発掘も進んでいきます。仮に知財がなくても取得してしまえばよいのです。始める前から及び腰になることはありません。ビジネスとはそもそも潜在ニーズを探って試行錯誤しながら創り出すものでしょう。可能性の検討は必要としても、それ以上に一歩踏み出す勇気が持てるかどうかなのです。

また、静岡県に派遣された担当者が特別だったかと言えば、そのようなことはないと考えています。確かに埼玉県、北九州市のプロデューサーよりも、件数としては先行しましたが、時間は少しかかったものの、埼玉と北九州でも何件もの成功事例を導いているのです。プロデューサーそれぞれにはスタイルがあり、それは仕事人として20~30年のキャリアを通じて形成されたものです。肝心なのは、磨いてきた経験とスキルを地方創生のための事業プロデュースに一定期間、集中的に注ぎ込めるような環境を整えることではないでしょうか。

本事業のプロデューサー3人のように、仕事人人生の総仕上げに、郷里のために働きたいという方は数多くおられるはずです。実際、今回の事業プロデューサー公募でもそのような志を持つ方々が目立ちました。問題はキャリアに見合った報酬を複数年、確保できるかです。志とボランティア精神ばかりに頼るわけにはいきません。キャリアダウンにならないよう、インセンティブへの配慮も必要です。産業振興施策には多額の予算が振り向けられています。選択と集中を工夫して人材確保の道を開くことは十分可能であり、それは決断次第なのです。

事業プロデューサーというプロ人材を育成するための土壌も地域の中に見いだせるはずです。地域金融機関や商工関係の組織、自治体の経済セクションなど、候補となり得る優秀な若手を抱えた組織がいくつもあります。事業プロデュースは、実際に事業者と一定期間一緒にやってみないと身に付かない仕事です。組織側が理解と度量を持って地方創生に本腰を入れ、若手に経験を積ませるための異動、交流を積極的に図ることが大切になると考えています。

持続可能な地域経済の実現に向けて

一定規模の予算を複数年にわたって投入する事業は、官民ともになかなか難儀ではあります。予算はそこそこで、すぐに取り組める事業は広がっていきやすいですが、えてして効果は小さなものです。今後予想される日本経済の下り坂を生き抜き、回復へと向けるためには、カンフル剤のような一時的、その場限りの施策では限界があります。息の長い取り組みこそが求められるでしょう。事業プロデューサー派遣はこうした経済的ニーズに沿った事業といえます。

今後の産業振興施策の1つの方向性としては、海外の動向を踏まえても、中央で考えた施策を地域に展開するというやり方だけではなく、先に述べたようなＬＥＰ（地域産業パートナーシップ）や地域商社など、各地域の実態に沿った施策の検討や展開を行う、地元の人々で構成された実行能力を併せ持つ組織が地域には欠かせなくなるのではないでしょうか。そして仕組みづくり・運営においても官民の連携が求められていくと考えています。

このように、持続可能な地域経済を実現するために我々としても一つ一つ取り組みを進めていきたいと強く思っていますが、一方で単独の民間企業のみで実現するには、困難なことが多いのも事実です。そのため、今後も官民双方における多くの皆様と意見交換をしながら、時には力をお借りしながら、持続可能な地域経済の実現に向けて取り組んでいきたいと考えています。

道のりは険しくとも、今回の事業プロデューサー派遣事業の成果を糧として、取り組んでまいる所存ですので、皆様の叱咤激励をいただけますと幸いです。

最後になりますが、本書の出版にお力添えをいただいた特許庁総務部企画調査課（当時）安藤美奈子様、創成国際特許事務所会長佐藤辰彦様はじめ関係者、編集をご担当いただいた佐野有利様を含む静岡新聞社の皆様に心より御礼を申し上げます。

２０２０年７月１日
有限責任監査法人トーマツ
リスクアドバイザリー事業本部
パブリックセクター
ディレクター　片桐豪志

【付録】

知的財産権について
（特許庁公式ホームページ「知的財産権について」[15]より抜粋）

知的財産権とは

知的財産権制度とは、知的創造活動によって生み出されたものを、創作した人の財産として保護するための制度。「知的財産」および「知的財産権」は、知的財産基本法において次のとおり定義されています。

《参照条文》

第2条　この法律で「知的財産」とは、発明、考案、植物の新品種、意匠、著作物その他の人間の創造的活動により生み出されるもの（発見又は解明がされた自然の法則又は現象であって、産業上の利用可能性があるものを含む）、商標、商号その他事業活動に用いられる商品又は役務を表示するもの及び営業秘密その他の事業活動に有用な技術上又は営業上の情報をいう。
2　この法律で「知的財産権」とは、特許権、実用新案権、育成者権、意匠権、著作権、商標権その他の知的財産に関して法令により定められた権利又は法律上保護される利益に係る権利をいう。

知的財産の特徴として、「モノ」とは異なり「財産的価値を有する情報」であることが挙げられます。情報は、容易に模倣されるという特質を持ち、しかも利用されることで消費され、なくなるということがないため、多くの者が同時に利用することができます。こうした特性を踏まえ知的財産権制度は、創作者の権利を保護するため、元来自由利用できる情報を、社会が必要とする限度で自由を制限する制度ということができます。

近年、政府は「知的財産立国」の実現を目指し、様々な施策を進めています。産業界や大学等の動向を見ると、産学官連携の推進、企業における知的財産戦略意識の変化、地方公共団体における知的財産戦略の策定等、知的財産を取り巻く環境は大きく変化していま

15　特許庁公式ホームページ「知的財産権について」：https://www.jpo.go.jp/system/patent/gaiyo/seidogaiyo/chizai02.html

知的創造物について

創作意欲を促進

特許権(特許法)	●「発明」を保護 ● 出願から20年 ● （一部25年に延長）
実用新案権(実用新案法)	● 物品の形状等の考案を保護 ● 出願から10年
意匠権(意匠法)	● 物品のデザインを保護 ● 登録から20年
著作権(著作権法)	● 文芸、学術、美術、音楽、プログラム等の精神的作品を保護 ● 死後70年(法人は公表後70年、映画は公表後70年)
回路配置利用権(半導体集積回路の回路配置に関する法律	● 半導体集積回路の回路配置の利用を保護 ● 登録から10年
育成者権(種苗法)	● 植物の新品種を保護 ● 登録から25年(樹木30年)
営業秘密(不正競争防止法)⇒技術上、営業上の情報	● ノウハウや顧客リストの登用など不正競争行為を規制

営業上の標識についての権利など

信用の維持

商標権(商標法)	● 商品・サービスに使用するマークを保護
商号(商法)	● 商号を保護
商品等表示(不正競争防止法)	● 周知・著名な商標等の不正使用を規制
地理的表示(GI)(特定農林水産物の名称の保護に関する法律)	● 品質、社会的評価その他の確立した特性が産地と結び附いている産品の名称を保護
地理的表示(GI)(酒税の保全及び酒税業組合等に関する法律)	

産業財産権＝特許庁所管

【図　知的財産の種類】
出所：特許庁公式ホームページ「知的財産権について」より筆者作成

す。今後、知的財産権制度の活用については、我が国経済の活性化だけではなく、企業や大学・研究機関においても重要な位置を占めると考えられます。

知的財産権の種類

知的財産権には、特許権や著作権などの創作意欲の促進を目的とした「知的創造物についての権利」と、商標権や商号などの使用者の信用維持を目的とした「営業上の標識についての権利」に大別されます。また、特許権、実用新案権、意匠権、商標権および育成者権については、客観的内容を同じくするものに対して排他的に支配できる「絶対的独占権」といわれています。一方、著作権、回路配置利用権、商号および不正競争法上の利益については、他人が独自に創作したものには及ばない「相対的独占権」といわれています。

【参考文献・資料一覧】

静岡県「茶葉の現状」平成30年3月

特許庁「地方創生のための事業プロデューサー派遣事業（平成28~30年度）平成30年度事業実施年間報告書」

中小企業庁「中小企業白書」

中小企業庁「ＣＲＳＶへの先進的取組に関するアンケート調査」（２０１４年７月）

日本総合研究所『ＪＲＩレビュー　星貴子「地域産業振興策の現状と課題　―推進組織からみた地域産業振興の在り方―」』（２０１６年７月）

英国政府「Strenghtened Local Enter Partnerships」（２０１８年７月）

【参考ウェブページ】

静岡県産業振興財団公式ホームページ http://www.ric-shzuoka.or.jp/

総務省統計局、人口推計 https://www.stat.go.jp/data/jinsui/index.html

特許庁、知的財産権制度の概要「知的財産権について」、
https://www.jpo.go.jp/system/patent/gaiyo/seidogaiyo/chizai02.html

内閣府、成果連動型民間委託契約方式ポータルサイト、https://www8.cao.go.jp/pfs/index.html

LEP Network, 公式ホームページ https://www.lepnetwork.net/

JETRO, 英国、外資に関する奨励、https://www.jetro.go.jp/world/europe/uk/invest_03.html

【略歴】

著者　増山　達也
有限責任監査法人トーマツ
リスクアドバイザリー事業本部パブリックセクター　ディレクター
特許庁委託事業「地方創生のための事業プロデューサー派遣事業」
事業プロデューサー

1991年三井信託銀行へ入社し、1995年には審査部にて住宅金融専門会社の倒産処理、いわゆる住専問題を担当。その後、静岡市に本社を置くTOKAIにて広報・IR、静岡駅前葵タワーの再開発プロジェクト、2005年より世界的コングロマリットGEグループにて国内金融機関の設立プロジェクト、2008年より大手流通系イオン銀行にてプロジェクトを推進。2011年より大手保険薬局チェーンアイセイ薬局の執行役員として経営戦略およびJASDAQ上場、およびグループ３社の代表取締役として成長戦略を推進。2013年より明治安田生命保険にて介護事業分野の事業を推進するなど、これまで金融機関、民間企業において新規事業構築、事業再編、IPO支援、広報・IR、医療・介護事業等に従事。

2016年１月より有限責任監査法人トーマツに参画、地方創生を目的に特許庁委託事業プロデューサーの役務に3年従事。20件近くの件を超す新規事業を創出するなど、知的財産を活用した新規事業創出で実績を積み上げている。2019年４月より静岡県産業振興財団の統括事業プロデューサーとして、引き続き静岡県内企業の事業育成に関わるとともに、地方創生を推進している。

著者　片桐　豪志
有限責任監査法人トーマツ
リスクアドバイザリー事業本部パブリックセクター　ディレクター
特許庁委託事業「地方創生のための事業プロデューサー派遣事業」
プロジェクトリーダー

北海道出身、東京大学大学院新領域創成科学研究科メディカルゲノム専攻博士課程単位取得退学（生命科学修士）、三菱総合研究所、デロイトトーマツコンサルティングを経て現職。主に産業振興施策に関して地方自治体・中央省庁の公共政策に関する国内業務から、ODAや海外インフラ輸出などの海外業務など、コンサルタントとして幅広く活躍。

デロイトトーマツコンサルティング合同会社にて、監査法人トーマツのアドバイザリー事業本部の立ち上げから戦略企画業務に従事した後、その戦略の実現のために監査法人に転籍。新規ビジネス開拓担当として、電力、海外インフラ輸出、地方創生、ESG投資、林業などのビジネスを次々立ち上げて成果を挙げている。特許庁「地方創生のための事業プロデューサー派遣事業」ではプロジェクトリーダーとして提案から事業終了までを主導した。トーマツで産業振興のチームリーダーを務める傍ら、経済産業省「地域経済牽引事業」先進性評価委員等で有識者としても活動しつつ、社内ベンチャーとしてデロイトトーマツ保育園をオープンさせるなど、事業運営でも活躍。著書（共著）に「SDGs時代のインパクト評価と社会イノベーション」（第一法規株式会社）。

執筆・編集協力者　横松　友見
有限責任監査法人トーマツ
リスクアドバイザリー事業本部パブリックセクター

名古屋外国語大学外国語学部英米語学科卒業。インド現地のコンサルティング会社にて勤務（インターンシップ)、日系証券会社営業部を経て現職。

日本企業のインド進出に関わるコンサルティング業務、日系証券会社での中堅・中小企業オーナーへの営業経験を通じて、日本企業の一層の海外進出、中堅中小企業のスケールアップに大きな可能性を見いだし、トーマツパブリックセクターの産業振興コンサルタントに転身。産業振興・中小企業支援、公共政策に関する国内外の業務を主な領域として、中小企業の知財活用・伴走支援、ベンチャー企業の海外進出プロジェクトの企画・設計、産業振興エコシステム形成等のプロジェクトに従事。ビジネスで社会課題を解決することを主眼に、産業振興プロジェクト等に取り組んでいる。

事業プロデューサーという呼び水
－持続可能な地域経済のカタチ－

2020年7月1日初版発行

著　者　　増山 達也
　　　　　片桐 豪志

編集・執筆協力　横松 友見

発行者　大石 剛

発行所　静岡新聞社
〒422-8033
静岡県静岡市駿河区登呂 3-1-1

ブックデザイン　塚田 雄太

印刷・製本　図書印刷株式会社

ISBN　978-4-7838-2264-6

＊定価はカバーに表示してあります。
＊乱丁・落丁本はお取り換えいたします。
＊本書記事、画像、図表、イラスト等の無断転載・複製を禁じます。
＊本書に掲載している内容は、執筆者の私見であり、法人としての見解ではありません。

© Tatsuya Masuyama, Tsuyoshi Katagiri & Tomomi Yokomatsu
Printed in Japan